Catalogage avant publication de Bibliothèque et Archives nationales du Québec et Bibliothèque et Archives Canada

Skuy, David, 1963-

[Undergrounders. Français]

Hockey de rue

Traduction de : Undergrounders.
Pour les jeunes de 12 ans et plus.

ISBN 978-2-89647-687-9

I. Chabin, Laurent, 1957- . II. Titre. III. Titre : Undergrounders. Français.

PS8637.K72U6414 2012   jC813'.6   C2012-940076-9
PS9637.K72U6414 2012

Nous reconnaissons l'aide financière du gouvernement du Canada par l'entremise du Programme national de traduction pour l'édition du livre pour nos activités de traduction.

Les Éditions Hurtubise bénéficient du soutien financier des institutions suivantes pour leurs activités d'édition :

– Conseil des Arts du Canada ;
– Gouvernement du Canada par l'entremise du Fonds du livre du Canada (FLC) ;
– Société de développement des entreprises culturelles du Québec (SODEC) ;
– Gouvernement du Québec par l'entremise du programme de crédit d'impôt pour l'édition de livres.

Conception graphique : René St-Amand
Photographie de la couverture : Joey Brooke Boylan, iStockphoto.com
Mise en page : Martel en-tête

Titre original : *Undergrounders*
Copyright © 2011 de David Skuy
Édition originale publiée au Canada par Scholastic Canada Ltd
Copyright © 2012, Éditions Hurtubise inc. pour l'édition en langue française

ISBN : 978-2-89647-687-9 (version imprimée)
ISBN : 978-2-89647-688-6 (version numérique pdf)

Dépôt légal : 2ᵉ trimestre 2012
Bibliothèque et Archives nationales du Québec
Bibliothèque et Archives Canada

Diffusion-distribution au Canada :   Diffusion-distribution en Europe :
Distribution HMH   Librairie du Québec/DNM
1815, avenue De Lorimier   30, rue Gay-Lussac
Montréal (Québec) H2K 3W6   75005 Paris FRANCE
www.distributionhmh.com   www.librairieduquebec.fr

Imprimé au Canada
www.editionshurtubise.com

HOCKEY DE RUE

David Skuy

Traduit de l'anglais par Laurent Chabin

Hurtubise

David Skuy détient une maîtrise en histoire, il est avocat et il écrit des romans pour les adolescents. Il souhaitait encourager les garçons à lire davantage et pour ce faire, il s'est mis à écrire des récits qui parlent de sport.

Laurent Chabin a écrit quelque quatre-vingts romans, tant pour les jeunes que pour les adultes. Il est aussi traducteur de l'anglais vers le français. Lorsqu'il n'écrit pas, il anime dans les écoles primaires et secondaires des ateliers littéraires sur le roman policier, ses secrets et ses techniques.

À Maman

1

Bang! Bang! Bang!

Le bruit m'a effrayé sur le coup, puis je me suis retourné et j'ai vu ce garçon vêtu d'un chandail de hockey bleu foncé et coiffé d'une tuque noire. Il me regardait à travers le grillage métallique qui entoure la patinoire et frappait à coups redoublés sur la bande avec son bâton. J'allais lui faire un doigt d'honneur et ficher le camp lorsqu'il m'a lancé :

— Hé! Peux-tu nous renvoyer la rondelle?

Il a hoché la tête en désignant un garçon qui l'accompagnait.

— Ce *loser* n'est pas capable de lancer comme du monde.

Son compagnon était vraiment taillé comme une armoire à glace et portait le même chandail.

— C'est pas si facile de faire dévier la rondelle et de l'envoyer par-dessus la clôture, a-t-il dit en riant. C'est un coup de champion.

— Arrête un peu, a repris le premier. Tu pourrais essayer encore un million de fois sans y arriver.

Je ne sais pas pourquoi je les ai aidés. Vraiment pas. J'étais frigorifié et je mourais de faim. De toute la journée, je n'avais mangé qu'un sac de chips. Qu'est-ce que j'avais à faire avec une bande de Réglos ?

C'est ainsi que les Rats de cave appellent les jeunes ordinaires, ceux qui vont à l'école et ont des parents, qui jouent au hockey et ne vivent pas dans la rue. Bon, en fait, je ne vis pas exactement dans la rue. J'habite à la Cave, avec Lewis, Rigger et tous les autres Rats de cave.

— Elle est là-bas, près de la camionnette bleue, je crois, a indiqué le garçon qui m'avait appelé. Peux-tu jeter un coup d'œil ? Avec les patins, on ne peut pas aller sur le trottoir.

J'ai enfoui mes mains dans mes poches. Un imbécile avait volé mes gants la nuit précédente, les mains allaient me tomber à terre. Lewis m'avait dit un jour que ce n'est pas la rue qui nous tue, c'est le froid. Moi, je crois que c'est la faim, mais je n'ai rien répondu parce qu'il est beaucoup plus âgé que moi et qu'il n'aime pas qu'on le contredise.

J'ai trouvé la rondelle près d'un des pneus de la camionnette et les deux Réglos m'ont applaudi.

— Renvoie-la par-dessus la clôture. Et merci ! On te revaudra ça.

Un troisième joueur est arrivé. Il portait le même chandail que les deux autres. Ils devaient jouer dans la même équipe.

— Alors, vous l'avez ou pas ? a-t-il demandé d'une voix impatiente. On se les gèle, là.

— On l'a, on l'a, a répondu le gros. Garde la tête froide !

— C'est justement le problème, a grogné l'autre. Elle est en train de virer en glaçon.

J'ai lancé la rondelle le plus loin possible sur la glace. Le mouvement m'a fait du bien. Deux des garçons se sont précipités pour l'attraper. Celui qui m'avait parlé a encore donné un coup de son bâton sur la bande.

— Merci encore. Si tu habites dans le coin, tu pourrais venir jouer avec nous. On est ici presque chaque jour après l'école.

Il m'a tourné le dos pour rejoindre les autres. Ce n'était pas tous les jours que je rencontrais quelqu'un d'aussi chaleureux.

Curieux, comme je pouvais détester le hockey à ce moment-là. J'avais aimé ça, autrefois. J'avais fait partie d'une véritable équipe, je m'exerçais à la patinoire de l'école et aussi dans la ruelle. Et, de voir ces jeunes s'entraîner ainsi, j'en avais le cœur lourd. Les gargouillis de mon estomac, cependant, étaient une raison suffisante pour tourner les talons. Si je ne trouvais pas très vite quelque chose à manger, j'allais m'évanouir.

J'ai essayé de me rappeler quand j'avais joué pour la dernière fois. C'était bien avant la mort de ma mère, c'est certain. Peut-être juste avant notre déménagement à Brentwood, lorsqu'elle avait perdu son emploi à l'usine de pièces automobiles.

D'habitude, je m'efforçais de ne pas penser à elle, ça me donnait le cafard. Une fois, j'ai même pleuré et un des Rats de cave, Will, s'est moqué de moi. Tous les autres sont partis à rire en me traitant de gros bébé. À présent que j'étais seul, je pouvais me laisser aller un peu.

Ron avait trouvé un travail à mi-temps à Brentwood, et nous y sommes donc allés. Je n'ai jamais pu supporter cet imbécile et je me suis toujours demandé pourquoi ma mère l'avait pris pour compagnon. Elle disait qu'elle se sentait seule, après le départ de mon père, et que Ron la faisait rire. Moi, il ne m'a jamais fait rire. Pas une fois.

J'étais avec maman dans sa chambre d'hôpital lorsqu'elle l'a supplié de prendre soin de moi après sa mort, car elle n'avait personne d'autre. Les médecins lui avaient dit que son cancer était trop avancé. Je me suis mis à pleurer et Ron a dit : « Ne t'inquiète pas, Angela. » Il l'a dit, je l'ai entendu.

« Sois fort, mon chéri. Tout ira bien, je te le promets. Ron s'occupera de tout. Il n'y aura pas de problème. Tu es un grand garçon, et tellement intelligent. Les choses s'arrangeront. Je sais que tu es triste, et je le suis aussi. Mais n'oublie pas que ta maman t'aime. Je t'aimerai toujours, toujours. Dis-toi que je te verrai de là-haut, et que je veux être fière de toi. Tu seras toujours mon petit ange. »

Tels ont été ses derniers mots. Elle s'est endormie, à jamais. Elle n'a pas même rouvert les yeux. Le cancer l'avait emportée. Même si sa mort ne remontait qu'à un peu plus d'un an, il me semblait parfois qu'elle avait eu lieu il y a un million d'années – ou d'autres fois qu'elle datait de la veille.

Ron était un menteur. Il a disparu dès le lendemain de la mort de maman, se sauvant tout comme l'avait fait mon père. Je me suis réveillé ce matin-là, et il n'était plus là. J'ai fait griller des toasts, même si le pain était complètement rassis. Puis j'ai entendu quelqu'un frapper à la porte. J'ai pensé que c'était Ron et j'ai crié :

— La porte est ouverte, idiot !

Mais le vacarme a continué jusqu'à ce que j'aille ouvrir. C'était le propriétaire, le visage rouge et les yeux remplis de colère.

— Je le savais, que vous étiez des bons à rien ! s'est-il écrié. J'ai été stupide de louer à des ratés pareils.

Je me moquais de ce qu'il disait pour Ron, mais il n'avait pas le droit de traiter ma mère ainsi.

— Ma mère n'est pas une ratée, ai-je répliqué en le fusillant du regard. C'est vous qui en êtes un, espèce de crétin !

Me prenant au dépourvu, il m'a attrapé par le collet et m'a attiré à l'extérieur. J'ai tenté de me défendre, mais il était fort malgré son âge.

— Tu ne manques pas de culot ! J'ai perdu trois mois de loyer par pitié pour ta mère. Mais je viens de voir Ron ficher le camp avec sa voiture chargée jusqu'au toit et j'ai bien l'impression que je ne verrai jamais mon argent. Je suis sûr que ce n'est pas toi qui l'as, hein ?

Il m'a relâché et m'a lancé un regard dur. Je n'avais aucune idée de ce que pouvaient représenter trois mois de loyer, mais je savais que je ne les avais pas. Tout ce que je possédais, c'était cinq dollars en pièces de monnaie et un billet de dix dollars que j'avais trouvé sous le lit quelques mois plus tôt, et qui avait dû tomber de la poche de Ron pendant son sommeil.

— Ron a dégagé les lieux, a craché le propriétaire. Maintenant, tu as dix minutes pour faire de même ou j'appelle la police. Dix minutes ou tu te retrouves en prison !

— Mais ma mère…, ai-je bégayé.

Il s'est un peu radouci et il a haussé les épaules.

— C'est bon. Tu peux prendre la matinée pour appeler ta famille, emballer tes affaires et partir. Mais je veux la place nette à midi. J'ai besoin de faire le ménage pour pouvoir recevoir des locataires potentiels dès demain matin.

Là-dessus, il est parti.

Ma mère n'avait pas de famille. C'est Ron qui était censé s'occuper de moi. Je n'ai jamais connu mon père. Il a décampé avant ma naissance. « Il n'y a rien de mal à être une mère célibataire », avait-elle coutume de me dire. « Tu es le seul homme dont j'ai besoin, je t'aime tellement. »

Je le savais, qu'elle m'aimait, mais, pour une raison ou pour une autre, elle avait laissé Ron s'installer avec nous, et pour quel résultat ! Je suppose que l'amour ne rend pas plus intelligent.

Je me retrouvais donc seul, mais je n'allais pas attendre la police. J'ai récupéré mon sac de couchage sous le lit. Il datait de mon enfance et n'était pas beaucoup plus épais qu'une serviette, mais c'était mieux que rien. Puis j'ai fourré quelques vêtements dans un sac à dos et, avec pour tout trésor une petite photo de ma mère, j'ai abandonné cet appartement de merde pour n'y jamais revenir. Depuis, je vis dans la rue.

Au début, ce n'était pas si mal : en été, on peut dormir sous les arbres, près de la rivière. Mais le temps a changé et je crois que je serais mort de froid si Lewis ne m'avait pas introduit à la Cave. Il m'a sauvé la vie et est devenu mon meilleur ami. C'est pourquoi ça ne me dérange pas de faire certaines choses pour lui, comme de livrer des paquets.

La Cave était une portion en ruine d'un édifice situé en arrière de la gare. Un type un peu fou avait commencé la construction d'un centre commercial, mais il n'était jamais allé plus loin que les sous-sols. Lewis disait qu'il avait manqué d'argent.

Un garçon plus âgé, qu'on surnommait Rigger parce qu'il s'appelait Riggins – il était en fait moins un ado qu'un adulte –, avait découvert comment obtenir l'eau courante sans que personne s'en rende compte en détournant une canalisation. Rigger faisait payer cinquante cents à ceux qui passaient la nuit là, mais ça valait la peine. Les Rats de cave n'étaient pas comme les autres sans-abri : ils avaient un endroit où dormir.

J'ai quitté Cedarview Park et la patinoire extérieure, puis j'ai traîné mes savates pendant une vingtaine de minutes et je suis arrivé à l'allée que Lewis m'avait fait découvrir et qui conduit droit au marché. J'avais l'intention de ramasser au moins deux dollars aujourd'hui et il me fallait trouver un bon emplacement près de la porte principale. Alors j'aurais de quoi payer le loyer de la nuit à Rigger et je pourrais m'acheter des *buns* chinois, et peut-être même une boisson.

La veille, j'étais arrivé trop tard et j'avais dû me rabattre vers l'arrière du marché, où il y avait peu de passants. Seuls les radins sortaient par cette porte pour éviter d'avoir à donner aux gamins des rues qui les harcelaient de l'autre côté.

J'aurais bien aimé me retrouver tout de suite à la Cave, mais Rigger était intraitable sur ce point : nous devions déguerpir le matin avant neuf heures, et nous ne pouvions pas rentrer avant cinq heures. On en était loin. Je serais transformé en glaçon bien avant. Saleté de temps. J'ai fait sonner mes deux pièces dans ma poche. Assez pour payer ma nuit, mais pas pour manger. Et mon estomac était un trou noir qui me rongeait, comme une démangeaison qu'on ne peut pas gratter.

2

L'allée était bordée d'un côté par l'arrière des boutiques, de l'autre par des garages. Les boîtes de recyclage
et tout un tas d'objets s'amoncelaient d'un côté et ren-
daient le passage difficile. Je me suis donc replié vers
les boutiques pour éviter ce vent stupide qui me mor-
dait le visage. J'allais vers le marché lorsque j'ai aperçu
une porte à moustiquaire entrouverte au bas d'un
escalier.

D'un bond, je me suis retrouvé à cet endroit et je me
suis glissé du mieux que j'ai pu entre la moustiquaire
et la porte de l'immeuble. C'était si bon d'échapper au
vent pour quelques instants... Je me suis accroupi et
j'ai enfoui mes mains sous mes aisselles. J'avais les
pieds gelés, mais au moins le froid était moins mordant ici. Pourtant, rester immobile et recroquevillé
était d'un tel ennui que j'ai décidé de bouger. J'ai saisi
la poignée pour me relever et devinez quoi? Elle a
pivoté! Je l'ai tournée à fond et, d'un coup d'épaule, j'ai
poussé la porte.

Une onde de chaleur m'a submergé, comme une vague lorsqu'on nage au bord de la mer. J'étais allé une fois à la mer, avec ma mère et Ron – du moins prétendaient-ils qu'il s'agissait de la mer, alors qu'en fait je savais que ce n'était qu'un lac. Mais c'était bien quand même. Que l'eau n'ait pas été salée n'y avait rien changé.

Une idée folle a germé dans ma tête. On était dimanche matin et les magasins n'étaient probablement pas encore ouverts. Je pouvais donc m'y faufiler et me réchauffer pour de bon.

Il faisait trop froid pour hésiter et, en un clin d'œil, je me suis retrouvé à l'intérieur. J'ai laissé claquer la porte et le bruit m'a fait bondir le cœur dans la poitrine. Je me suis tassé dans un coin derrière une montagne de caisses et je me suis fait tout petit. Ce n'était pas très difficile : j'étais loin d'être un géant. Lewis m'avait surnommé la Souris et ça ne m'avait pas gêné, mais tous les Rats de cave s'étaient mis à m'appeler comme ça eux aussi, ce que j'appréciais moins. Mais je n'y pouvais rien. J'aurais pu tuer pour être plus grand !

Ma vue s'est lentement accommodée à la pénombre. L'endroit débordait de boîtes, de piles de chandails, de culottes et d'autres équipements de hockey. Je savais où je me trouvais : dans le sous-sol de chez Baxter, une boutique de hockey. Je crois qu'ils vendaient aussi autre chose, mais le hockey était leur spécialité. Je passais toujours devant quand je me rendais au marché, sauf quand je prenais l'allée. Bonne chose : je savais qu'ils étaient fermés le dimanche.

Le silence était impressionnant. Les lieux devaient être déserts. Je n'avais aucune raison de demeurer recroquevillé là comme une araignée morte, et je me suis donc mis à errer dans le magasin. Des rangées de patins s'alignaient sur les étagères de bois, et le reste de l'équipement était réparti en plusieurs sections : culottes, jambières, protège-coudes, casques. C'était du matériel d'occasion.

Bang !

Je me suis jeté sur le sol et j'ai regardé autour de moi, complètement paniqué. « Je suis mort », ai-je pensé. Lewis m'avait parlé de la prison pour mineurs, qu'il appelait la *juve*, abréviation pour « détention juvénile ». C'est là que les policiers enferment les jeunes délinquants. Il y avait séjourné à l'âge de quatorze ans et il disait que c'était le pire endroit du monde, avec des sévices venant tant de gardiens vicieux que d'autres détenus, le manque de nourriture et le travail intensif.

Bang !

Quand je me suis rendu compte que le bruit venait de la moustiquaire que le vent faisait battre, j'ai ri de moi-même. Quel idiot j'étais de l'avoir laissée ouverte ! Je suis allé la refermer, puis je suis monté jusqu'au rez-de-chaussée sur la pointe des pieds. Arrivé sur les marches supérieures, je me suis accroupi et j'ai avancé la tête, un peu à la manière de ces marmottes que j'avais vues à l'école dans un documentaire sur la nature.

Des rangées de bâtons de hockey faisaient écran entre la rue et le magasin, et j'ai pensé que je pouvais m'y promener en toute sécurité. À l'arrière, les patins neufs étaient accrochés comme des trophées. Ils étaient rutilants, et leurs prix étaient hallucinants eux aussi. Une des paires coûtait 750 $. J'aurais pu vivre une éternité avec ça! Plus loin, une pancarte indiquait la section junior. Une paire de patins était réellement écœurante – des Graf –, d'un noir plus profond que les autres, rayé d'une ligne argentée qui courait le long de la semelle. La lame brillait. J'ai décroché les patins. Légers comme une plume! J'ai jeté un œil à l'étiquette: 525 $. Incroyable!

Je savais que c'était mal. Je savais que c'était une folie. Mais il me les fallait. J'ai tenté de résister – j'ai vraiment tenté –, je me suis même retourné vers les chandails pour penser à autre chose, mais rien à faire. Le désir de glisser sur cette patinoire était trop fort. Il y avait des tonnes de boîtes de patins empilées contre les murs. On ne remarquerait pas la disparition de l'une d'entre elles. Il ne m'a pas fallu longtemps pour trouver les Graf. J'ai essayé des 9, mais ils étaient trop grands. Même chose pour les 8, aussi ai-je pris une paire de 7 en me disant que ça ferait l'affaire. J'étais tellement paniqué par ce que j'étais en train de faire que j'avais l'impression que mon cœur allait exploser.

J'avais déjà repéré ce magnifique bâton Easton, que j'ai donc pris. Puis j'ai aperçu des gants de hockey suspendus près de la vitrine. Des gants neufs! J'en avais bien besoin. Je me suis vautré dans mon crime et j'en ai décroché une paire rouge et bleu. J'ai ensuite vu une caisse de mitaines, qui me feraient le plus grand bien. Par chance, il y avait également de grands sacs noirs avec une bandoulière. J'en ai pris un et j'y ai fourré toutes mes affaires.

Ça faisait trop longtemps que je me trouvais là. Il était temps de sacrer mon camp, comme disait Lewis, avant l'arrivée de la police. Je me suis quand même rappelé qu'il me fallait une rondelle, ainsi qu'un rouleau de *tape* et, pour finir, j'ai ajouté un chandail aux couleurs des Maple Leafs.

Mais le pire était à venir. En furetant près de la caisse enregistreuse, j'ai découvert une boîte contenant de l'argent. Un billet de cinq dollars. Jackpot ! Et, pour couronner le tout, j'ai trouvé dans le frigo un gros sandwich et une canette de Coke. Je vous laisse deviner où tout cela a fini…

Je savais que voler, ce n'est pas bien. Ma mère me l'avait appris. Et elle m'avait dit qu'elle aurait toujours un œil sur moi depuis là-haut, ce qui me rassurait, d'habitude. J'ai prié pour qu'elle soit trop occupée pour regarder. Elle ne serait certainement pas très fière de son fils. Mais je n'ai pas pu résister.

En un instant, je me suis retrouvé dehors, filant à toutes jambes dans l'allée. Même si je suis petit, je suis rapide. Je ne me suis arrêté qu'une fois dans la rue, où j'ai englouti sandwich et Coke en quelques secondes. Tout cela n'était pas un rêve, je devais m'en persuader, c'était la réalité. J'avais de l'argent, des patins, un bâton, des gants ; je n'avais même plus froid. Je n'avais pas eu chaud, je veux dire vraiment chaud, depuis je ne sais plus combien de temps.

J'étais gonflé à bloc lorsque j'ai pensé aux patins. Au lieu de traîner toute la journée dans les rues à ne rien faire, je pourrais aller à la patinoire et y jouer avec ma rondelle.

Peut-être que je ne détestais pas le hockey tant que ça.

3

Je suis allé tout droit à la patinoire. Si les garçons étaient partis, je pourrais essayer les patins, même s'ils n'étaient pas aiguisés. Dans le cas contraire, je m'abstiendrais. Je n'avais pas joué au hockey depuis plus d'un an et je devais être complètement nul. J'ai traversé le stationnement et jeté un coup d'œil par-dessus la bande. Personne. Le vestiaire se trouvait au bord de la patinoire. J'y suis entré et me suis assis dans un coin.

Un instant plus tard, je me rendais compte à quel point j'avais été stupide. Lewis disait qu'un garçon des rues doit constamment être sur ses gardes parce que les ennuis peuvent venir de n'importe où, et il avait raison. Les joueurs revenaient. Après avoir fini de jouer, ils avaient dû aller aux distributeurs automatiques. J'ai reconnu les trois garçons qui m'avaient demandé de leur renvoyer leur rondelle.

— Je vais couler en maths demain, a dit le gros. Chaque fois que j'essaie d'étudier, je m'endors.

— C'est parce que tu n'as essayé qu'une seule fois avant de te mettre au lit, a répliqué en riant celui qui m'avait paru sympathique.

Le gros ne s'est pas fâché.

— Je vais me faufiler dans la classe des surdoués et copier sur ta sœur.

— Fais comme tu veux, mais essaie seulement et elle te mettra son pied aux fesses.

Ils ont joué des poings, mais ils étaient manifestement amis, comme Lewis et moi. Le gros était vraiment costaud, presque autant que Lewis – et celui-ci avait seize ans. Mais ces garçons ne me paraissaient pas plus âgés que moi.

— Tu es libre demain, Rasheed ? a demandé le grincheux à celui qui s'était montré gentil avec moi.

— Oui. On s'entraîne mardi, donc on peut jouer ici demain à la sortie de l'école. Vas-tu venir, Collin ? a-t-il ajouté en tirant la manche du grand.

— Comme si j'allais rater une occasion de te déjouer ! Évidemment, que je viendrai.

— Génial. Et toi, Derrick ?

— Ça me va, a répondu ce dernier.

— Alors tout le monde sera là ? a demandé Rasheed.

Ils ont tous hoché la tête.

Pendant ce temps, j'étais en train d'enfiler mes patins, tête baissée pour ne pas me faire remarquer. Lewis m'avait averti de ne pas me tenir trop près des Réglos. Il disait qu'ils pouvaient se liguer contre toi et te rouer de coups assez salement. J'avais fini de lacer mon premier patin lorsque j'ai remarqué une ombre. J'ai relevé la tête. Rasheed se tenait devant moi.

— Désolé. On vient juste de finir de jouer. Mais on revient demain après l'école. Tu devrais nous rejoindre.

Bien sûr, je ne pouvais pas jouer avec ces types, mais il ne bougeait pas et il fallait que je trouve quelque chose à dire.

— Je pense que je ne pourrai pas demain. Des trucs à faire… Peut-être.

— Viens si tu peux, a fait Rasheed en haussant les épaules. Il y a toujours de la place pour un autre patineur.

Je me suis dit qu'il avait raison et j'ai commencé à attacher mon autre patin.

— À quelle école vas-tu ? Je ne t'ai jamais vu dans le coin.

Les garçons des rues apprennent à réfléchir vite. Ma réponse était prête :

— Je ne suis pas d'ici. Ma famille est venue rendre visite à un oncle. C'était tellement ennuyeux que j'ai fichu le camp.

Rasheed m'a cru. Lewis disait toujours que les Réglos gobent n'importe quoi.

— Tes patins ont l'air géniaux. Tu les as eus pour Noël ?

Ils étaient manifestement neufs. D'où sa déduction.

— J'ai eu de nouveaux gants aussi, ai-je fait en les lui montrant.

— Wow ! J'aimerais en avoir des comme ça.

Il m'a montré les siens. Ils étaient vieux et abîmés.

— Tu viens, Rasheed ? On va chez Derrick.

— J'arrive. À plus tard, a-t-il ajouté en me faisant un signe de la tête. Notre équipe s'entraîne les mardis et jeudis, et les matchs ont lieu vendredi ou samedi. On vient ici presque tout le reste du temps.

— Oui… OK… Peut-être…

Tout ça me paraissait bancal. Rasheed n'avait pourtant pas de mauvaises intentions.

— Merci de nous avoir renvoyé la rondelle, a-t-il conclu en s'éloignant. C'était notre dernière.

C'était curieux, ce malaise que m'inspiraient les Réglos. Pour l'oublier, je me suis élancé sur la glace. Je ne me suis pas trop mal débrouillé, en tout cas, surtout en tenant compte du fait que je n'avais pas patiné depuis longtemps et que les patins n'étaient pas aiguisés. Sans vouloir me vanter, j'étais le joueur vedette de mon équipe, autrefois. Quand ma mère avait encore un bon emploi, je jouais dans le AA, au centre, et je marquais des tonnes de buts. La dernière année, elle n'avait plus eu les moyens de me faire jouer en double lettre, puis elle était tombée malade.

La technique m'est vite revenue. En un rien de temps, je filais dans tous les sens avec aisance. Puis j'ai pris mon bâton et la rondelle. Ça a été dur au début. La rondelle répondait mal et mon bâton était trop long. Mais ça s'est rapidement amélioré. Et puis, ça valait mieux que de mendier près du marché.

Je ne sais pas combien de temps j'ai patiné, mais plusieurs heures au moins, j'en suis certain. J'aurais pu continuer si mes mains et mes pieds n'avaient pas recommencé à geler. J'ai fait un ultime lancer frappé vers le filet.

Clang!

La rondelle a heurté le poteau. Le bruit le plus écœurant du monde! C'est parfois plus amusant de frapper le poteau que de marquer un but. «Façon de terminer en beauté», ai-je pensé. Puis j'ai ramassé la rondelle et je suis rentré dans le vestiaire. Celui-ci était désert. À peine assis, j'ai de nouveau ressenti la faim. Les distributeurs automatiques m'étaient inaccessibles parce que je n'avais pas assez de monnaie. Habituellement, je me contentais d'un *bun* chinois pour souper, mais ce soir j'en voulais davantage. J'allais m'offrir un hot-dog chez le vendeur ambulant en face de la gare.

— Tu as besoin de quelque chose pour les ampoules.

Un homme vêtu d'une chemise vert foncé et d'une salopette sale désignait mes pieds du doigt. J'avais de grosses ampoules.

— Tu ne devrais pas patiner si longtemps. Mauvais pour les pieds.

Son élocution était hésitante, mais il avait raison à propos des cloques. Elles avaient un air affreux.

— C'est pas grave, ai-je dit. Les patins sont neufs mais ils se feront à mes pieds. Merci.

Il a hoché la tête, me dévisageant d'un air bizarre. Il avait le visage tombant et parsemé de marques et de petites bosses et il portait une cicatrice au-dessus de l'œil.

— Pas bons patins, a-t-il marmonné en tournant les talons.

J'ai supposé qu'il s'agissait du gardien ou d'un concierge. Je l'ai ignoré et j'ai enfoui mes affaires dans mon sac. J'étais sur le point de partir lorsqu'il est revenu.

— Voilà, a-t-il dit en me mettant quelques pansements dans la main. Ça ira mieux.

Les ampoules me brûlaient un peu. Je l'ai remercié tout en mettant deux pansements.

— Je m'appelle Pavel, a-t-il dit en hochant de nouveau la tête. Si tu as besoin de quelque chose, tu demandes.

J'avais besoin d'une tonne de choses, mais Pavel n'avait pas l'air du genre de type à pouvoir me les donner. Il avait à peine meilleure allure qu'un sans-abri. Nous avons discuté un peu et j'ai appris qu'il travaillait comme agent de service municipal, allant de patinoire en centre communautaire pour y faire du nettoyage.

Je lui ai dit au revoir et je me suis hâté vers le marché, pour voir si j'arriverais à ramasser un peu d'argent. En chemin, j'ai dissimulé mes affaires dans ma cache secrète, derrière le théâtre. Il y avait là deux gros conteneurs à ordures masquant l'ouverture de deux fenêtres de sous-sol. Lewis m'avait conseillé depuis longtemps de me trouver une cachette bien dissimulée, et celle-ci était la mienne. Je l'utilisais régulièrement et je n'avais jamais rien perdu.

C'est sans surprise que j'ai trouvé les abords du marché grouillant de sans-abri et de Rats de cave.

Nous avions nos règles à propos des emplacements. Une fois que vous étiez installé, personne ne pouvait s'approcher à moins de cinq mètres sans permission. Skidder se trouvait près de la porte principale, avec Happy D et Fitzy. C'étaient des grands et ils ne me laissaient jamais me joindre à eux. Creeper se tenait à la porte latérale. Il montrait parfois un peu de sympathie à mon endroit et je me suis donc dirigé vers lui avec mon meilleur sourire. Il avait l'air plutôt maussade, peut-être à cause du froid. Dans ces cas-là, il était généralement de mauvaise humeur.

— Quoi de neuf, Creeper ? Tu fais un peu d'argent ?

— Tu parles ! a-t-il répondu d'un ton hargneux. Pas envie de voir ta face, la Souris. Dégage !

Ça s'annonçait mal. Quand Creeper était comme ça, ça ne servait à rien d'être gentil. Ma seule chance, c'était le passage conduisant au stationnement, à l'arrière. C'était le pire endroit. Lewis me l'avait dit. Les gens détestent se sentir coupables et les enfants des rues les dépriment. Ils ont honte d'avoir de l'argent, et plus encore quand ils refusent d'en donner aux jeunes sans-abri. Ils se sentent mal à l'aise avec leurs sacs remplis de provisions et, plus ils s'éloignent du marché, plus leur malaise augmente. Quand on mendie du côté du stationnement, ça peut prendre des heures avant de soutirer trois sous.

Ça ne m'inquiétait pas trop parce que j'avais cinq dollars en poche. Mes pieds et mes mains recommençaient à geler. Le marché était peu achalandé ce jour-là et, au bout d'une demi-heure, c'est tout juste si une dizaine de personnes étaient passées près de moi en me regardant à peine.

Une dame avec deux jeunes est alors apparue, les enfants tellement engoncés dans leurs combinaisons de ski qu'on ne leur voyait que le bout du nez. Les mères de famille ne donnent presque jamais, surtout lorsqu'elles ont leur marmaille avec elles. La meilleure proie est un homme accompagné d'une femme : l'homme veut se montrer sous son meilleur jour.

Un des enfants a tiré sa mère par la manche de son manteau. J'ai entendu celle-ci lui murmurer :

— Joshua, on gèle et nous sommes en retard. Je ne peux pas m'arrêter tout le temps.

— Donne-moi vingt-cinq cents, maman. Donne-moi un peu d'argent.

L'espoir m'est revenu. Je ne devais pas laisser passer l'occasion. J'ai voûté mes épaules pour avoir l'air le plus petit et le plus misérable possible.

— Je n'ai rien mangé aujourd'hui. Auriez-vous un peu de monnaie, même une petite pièce ?

Il vaut mieux demander très peu. Ainsi, les Réglos se sentent honteux de ne pas donner plus.

— Joshua, cesse de tirer le bras de maman, les sacs sont assez lourds comme ça.

Joshua continuait de traîner les pieds.

— Vous n'êtes pas obligée, ai-je dit en faisant un peu trembler ma voix. Ça va aller.

Elle a posé ses sacs par terre et a commencé à fouiller dans son portefeuille. Joshua continuait de la tirer par la manche et l'autre marmot s'est mis en tête de demander de l'argent lui aussi.

— Je n'ai pas de monnaie, l'ai-je entendue murmurer tandis que les enfants poursuivaient leur manège. Arrêtez, vous deux! Ça suffit comme ça, s'il vous plaît.

Elle a sorti deux billets de cinq. Je le jure. Je n'en croyais pas mes yeux. Elle en a donné un à chaque enfant, mais un coup de vent a emporté celui du frère de Joshua. Les deux jeunes se sont lancés à sa poursuite tandis que la dame leur criait d'être prudents et de revenir. Le billet a atterri sous une voiture et Joshua s'est glissé dessous pour le rattraper.

— Joshua, debout! C'est sale et gelé partout.

Le gamin n'était manifestement pas obéissant. Il a réussi à récupérer le billet, puis il est revenu en courant et il m'a donné les deux.

— Tu es correct, petit, lui ai-je dit. Ne change pas.

— Allons-y, les enfants! Maman va à la voiture à présent. Papa nous attend à la maison.

J'ai supposé qu'ils l'aimaient, leur père, car ils se sont rués dans la voiture. Joshua s'est retourné et m'a fait un signe de la main, que je lui ai retourné. Pourquoi pas? Après tout, il m'avait donné dix dollars. Ma journée était faite. Je n'avais jamais été aussi riche: 15,50 $! Le plus beau jour de ma vie.

J'ai coupé par Union Street pour retrouver le marchand de hot-dogs sans avoir à repasser devant Creeper. J'ai senti l'odeur des saucisses avant même de voir la camionnette. Tous les Rats de cave raffolent de ces hot-dogs, et si l'un d'eux a les moyens de s'en offrir un, il s'en vantera longtemps.

J'en avais déjà mangé quelques-uns. Une fois, un homme en avait acheté un pour son petit garçon et celui-ci l'avait échappé sur le sol. Son père avait crié pour l'empêcher de le ramasser et, tandis qu'il l'entraînait plus loin – le gamin était vraiment enragé –, je m'étais précipité pour le récupérer. Je n'avais pas pu choisir ma garniture, mais cette fois-ci ce serait possible.

— Un hot-dog, ai-je commandé d'une voix forte.

L'homme m'a regardé avec suspicion.

— Les hot-dogs ne sont pas gratuits, a-t-il dit.

— Sans blague ! ai-je répliqué en exhibant un cinq dollars.

Il m'a dévisagé en plissant les yeux, la figure de travers, avant de me préparer ma commande.

— Je te vois souvent traîner dans le coin avec les autres gars. Tu ne vas pas à l'école ?

— Tous les jours, monsieur. Je vais à l'université.

— Encore un garçon sérieux. Vous êtes tous des gars sérieux. Veux-tu quelque chose à boire ? a-t-il ajouté en me tendant mon hot-dog.

Celui-ci sentait tellement bon que je n'ai pas pu résister.

— Un Coke.

J'ai accumulé les garnitures jusqu'à ce que le hot-dog devienne presque trop gros. La chaleur m'a réchauffé la bouche et la gorge tandis que j'avalais bouchée après bouchée. C'était si bon ! Si cette journée avait pu durer toujours ! J'ai mangé le plus lentement possible, déambulant dans la rue derrière la gare.

J'ai jeté le papier d'emballage et la canette vide dans les buissons puis j'ai descendu la pente raide jusqu'au-delà de la vieille voie de chemin de fer. Seul un naïf pouvait apporter de la nourriture à la Cave, à moins d'avoir la stature d'un Rigger ou d'un Lewis. Je l'avais appris à mes dépens lorsque deux garçons m'étaient tombés dessus pour un morceau de pain et m'avaient collé deux yeux au beurre noir. Lewis m'avait surnommé le raton-laveur jusqu'à ce que les cercles mauves disparaissent.

Les empreintes de pas, dispersées dans la neige, brouillaient le chemin. Un Réglo aurait pu passer un million de fois devant la porte métallique grise sans la remarquer. Nous l'appelions le pont-levis parce qu'un pont-levis défend l'unique accès à un château – ce qui était bien le cas. La Cave était notre château, nous y étions protégés du monde extérieur, des intempéries, de la police, des Réglos et, surtout, des sans-abri.

J'ai frappé selon le code le plus discrètement possible – Rigger aurait aplati quiconque faisait trop de bruit. Deux coups, une seconde d'attente, deux autres, deux secondes cette fois, et enfin trois derniers coups. La porte s'est entrebâillée.

— C'est la Souris.

La porte s'est ouverte tout à fait.

J'y étais.

4

C'est Brachy qui était de garde ce soir-là. Ce surnom lui avait été donné par dérision, Brachy étant le diminutif de brachiosaure, le plus gros dinosaure de tous les temps, alors qu'il était à peine plus grand que moi malgré ses dix-sept ans. J'avais mieux à faire que de discuter avec un Rat de cave de cet âge. Je me suis dirigé vers le puits de l'ascenseur et je suis descendu par l'échelle de corde. La première règle de la Cave était de payer Rigger, et j'ai donc fait la queue avec quelques autres qui attendaient leur tour. Creeper se trouvait devant moi.

— Tu peux m'avancer l'argent de ce soir ? m'a-t-il demandé.

Creeper était le plus grand parasite de la Cave. Je lui avais déjà prêté trois dollars au cours des derniers mois. « Tu n'en reverras jamais la couleur », m'avait averti Lewis en l'apprenant. Il avait raison. Chaque fois que je lui réclamais mon dû, Creeper me répondait qu'il était à sec.

— Pas possible, ai-je fait. Tu as bien vu, j'ai dû aller au stationnement.

Je me suis retourné pour mettre fin à la conversation. Mon tour est arrivé. Rigger était assis dans son fauteuil, devant son « appartement », comme toujours à l'heure du loyer. Je lui ai tendu la pièce de deux dollars que m'avait rendue le marchand de hot-dogs.

Rigger a fouillé dans un bol pour me rendre la monnaie. Il parlait rarement aux plus jeunes. Je me suis contenté de prendre mon argent avant de me hâter vers ma « chambre ». Quelques-uns des plus âgés d'entre nous occupaient les « suites de luxe », ainsi que nous appelions la rangée des pièces les plus proches de celle de Rigger. Celles-ci étaient les plus grandes et les plus chaudes. La mienne se trouvait au fond. Elle était froide et parfois elle prenait l'eau. Mais au moins, elle était sèche en hiver.

Nous demeurions à plusieurs dans une chambre pour nous garder au chaud. Je partageais la mienne avec Will, Rose et J. J. Ce n'étaient pas mes amis pour autant – comme l'était Lewis – et la plupart du temps Will et Rose me traitaient assez mal. Will et Rose étaient jumeaux, même s'ils ne se ressemblaient pas. Ils avaient quatorze ans, mais ils se comportaient comme s'ils avaient eu cinq ans de plus que moi. J. J. avait le même âge que moi, douze ans, mais c'était un véritable pleurnicheur et il était pratiquement le seul Rat de cave que je pouvais battre. Il ne me cherchait donc pas d'ennuis. Mais je dois dire que, comme Lewis et moi étions amis, j'en avais rarement avec qui que ce soit.

— On gèle là-dedans, ai-je fait en me glissant dans mon sac de couchage.

Je ne voulais pas que Will s'imagine que j'avais peur de parler.

— Merci pour la météo, a-t-il grogné.

Il était déjà couché dans son sac. J'ai remarqué un gros bleu sur sa joue.

— Qu'est-ce qui t'est arr…

Je n'ai pas pu terminer ma phrase que déjà Rose s'en mêlait.

— Will s'est fait fesser par un sans-abri, a-t-elle annoncé comme s'il s'agissait d'une bonne blague.

— La ferme, a maugréé celui-ci en remontant son sac de couchage jusqu'au menton.

Son œil droit était gonflé et il avait une coupure au menton.

— C'était qui ?

— C'est pas tes affaires, a dit Will.

Mais Rose mourait d'envie de tout raconter.

— On était en train de quêter à la station de métro, à l'heure de pointe, et une bande de sans-abri est venue nous dire de dégager. Will a répondu qu'on était là en premier et alors un type avec une veste de l'armée l'a cogné quelque chose de rare.

— Est-ce qu'il portait une casquette verte avec un drapeau américain sur le côté ?

Rose a hoché la tête.

— C'était W5. Je me risquerais pas avec lui. C'est un sacré morceau.

Je lui avais déjà livré des paquets de la part de Lewis deux ou trois fois par semaine et je savais tout de lui.

— Hé, la Souris, amène-toi une seconde.

C'était la voix de Lewis. Je me suis extirpé de mon sac en un clin d'œil. Je mourais d'envie de lui raconter ma journée, de toute façon.

— Il est mignon, le petit chien qui court après son maître, a fait Rose.

Elle était vraiment exaspérante, parfois, avec cette façon à la fois lente et sarcastique de faire des commentaires à tout propos. Mais Will était pas mal plus grand que moi et je ne pouvais guère répliquer. Rose était coriace, elle aussi, et, pour être honnête – je ne l'aurais pourtant avoué pour rien au monde –, je dois reconnaître qu'elle me faisait peur.

J'ai donc ignoré sa remarque et je me suis hâté vers la chambre de Lewis, la cinquième avant celle de Rigger. Il était étendu sur son canapé, comme d'habitude. Je ne sais comment, il avait réussi à dénicher ce sofa et à le descendre jusqu'ici. Seuls lui et Rigger avaient de quoi s'asseoir sur autre chose que des boîtes en carton. Lewis me laissait parfois dormir sur son canapé quand il partait à l'extérieur pour ses affaires, ce qui était assez fréquent, surtout dernièrement.

— Hé, la Souris. Qu'est-ce qui se passe dans ton coin, ce soir ?

— Will s'est fait tabasser par W5 près du métro.

Son visage s'est assombri.

— Tu y étais ?

— Non, c'est Rose qui me l'a raconté. Moi, je n'ai rien vu.

Lewis s'est mis à rire et il a tapoté son canapé.

— Assois-toi et relaxe. La journée a été vraiment froide !

Je ne connaissais rien de meilleur que ce canapé. Il était si moelleux. J'ai raconté ma journée à Lewis et, de temps en temps, il émettait un léger sifflement et ouvrait de grands yeux.

— Tu as vraiment piqué ça tout seul ? a-t-il dit lorsque j'ai eu terminé.

— Oui, bien sûr. Mais j'avoue que j'ai eu un peu peur, au début.

Il m'a fait un clin d'œil et a posé son bras sur mon épaule.

— Je crois que tu es prêt pour quelque chose de mieux que de livrer des paquets. Donne-moi quelques jours et j'aurai des propositions à te faire. Tu peux me donner un coup de main et je te paierai. Ça te tente ?

J'ai approuvé de la tête.

Il s'est levé et il a pris la pose d'un boxeur, se déplaçant lentement vers sa gauche. C'était mon jeu préféré. Je me suis mis à sautiller et à lui décocher des directs du gauche comme il me l'avait appris, en guettant l'ouverture. Bien sûr, je n'avais aucune chance contre lui, il avait quatre ans de plus que moi et c'était déjà presque un adulte, mais c'était amusant d'essayer.

Je lui ai balancé un crochet du droit à l'estomac mais, plus rapide que moi, il l'a bloqué et m'a assommé avec une pluie de directs. Je me suis couvert du mieux que j'ai pu jusqu'à ce qu'il m'enveloppe dans ses bras et me jette sur le sofa. Cela signifiait que le jeu était terminé. Je me suis relevé en vitesse, prêt à repartir dans ma chambre. J'avais appris de rude manière à interpréter ses signaux. Il était mon ami, mais il avait un sale caractère. Une fois, j'avais essayé de continuer à boxer et il m'avait frappé pour de bon à la tempe. J'avais eu une grosse bosse et un mal au crâne qui avait duré plusieurs jours, mais j'avais appris la leçon.

— Ne te lève pas, a-t-il dit en me repoussant sur le canapé. Je dois sortir et je ne rentrerai probablement pas avant demain matin. Une affaire en cours. Reste ici et surveille mes affaires.

Je n'en revenais pas de ma chance aujourd'hui.

— Comme tu veux, ai-je dit en essayant de ne pas mettre trop d'entrain dans ma voix. Je vais chercher mon sac de couchage et je reviens. Merci, Lewis.

— Pas de problème, la Souris. Tu auras peut-être à porter un paquet pour moi dans la matinée, alors tiens-toi prêt. Je vais te faire goûter à l'autre côté de la vie.

Il a pris son sac à dos et est parti. J'ai filé pour récupérer mon sac de couchage.

— Où tu vas ? m'a demandé Rose.

— Lewis veut que je guette sa chambre pendant qu'il est dehors.

— Où ça, dehors ?

— Ce sont ses affaires.

Elle a ricané comme une sorcière, c'était vraiment affreux et ça a duré un bon moment. Elle était vraiment bizarre.

J'avais envie de me payer sa tête pour de bon. Qu'est-ce que ça avait de si drôle que Lewis sorte ? Je me suis calmé, vu que Will était d'humeur particulièrement exécrable. Autant il pouvait se montrer vraiment méchant envers sa sœur, autant il la protégeait si quelqu'un d'autre s'y essayait. Et puis, un canapé m'attendait alors que ces nuls allaient passer la nuit sur un plancher froid.

J'ai senti la fatigue dans mes jambes tandis que je m'étendais, et mes paupières sont vite devenues lourdes. Habituellement, j'avais du mal à m'endormir. Ce ne serait pas le cas ce soir. Les ampoules à mes pieds me chauffaient un peu, mais, à part ça, j'avais l'impression de dormir sur un nuage ou dans un lit de plumes.

Je n'oublierais jamais cette journée – la meilleure de ma vie.

5

Les affaires de Lewis devaient être importantes, car il n'était pas encore rentré lorsque Rigger a sonné la cloche. J'ai fait la queue pour les toilettes. Rigger était strict là-dessus : interdit de faire ses besoins ailleurs. Une règle que j'approuvais. Certains étaient de vrais porcs et ils auraient pissé n'importe où. Ça ne me gênait pas d'attendre. Ça valait le coup d'avoir une vraie salle de bains au moins une fois par jour.

— On se presse ! a crié Fitzy en tambourinant à la porte.

— Me bouscule pas, a répondu Happy D. C'est une pièce de collection.

Ce type était bizarre, toujours quelque chose à dire à propos du caca ou du vomi, comme un gamin de quatre ans. Lewis pensait que Fitzy se tenait avec Happy D parce qu'il savait se battre.

— Nous aussi, on a des bronzes à couler ! a répliqué Fitzy.

Je savais qu'il n'était pas fâché pour de bon.

— Je vais dire à Rigger que tu es en train de monopoliser la place, a lancé Creeper. Si je suis encore là à
neuf heures et que je dois payer l'amende, je vais
devenir dingue.

— J'aimerais voir ça! a crié Happy D d'une voix
réjouie.

— T'es un vrai trou-de-cul!

« Trou-de-cul » était notre injure favorite.

J. J. m'a rejoint dans la file.

— Où est-ce que tu vas aujourd'hui? que je lui ai
demandé.

Nous avions l'habitude de quêter ensemble et je
voulais planifier mon après-midi pour pouvoir passer
la matinée à la patinoire.

— Je vais essayer le théâtre, a-t-il répondu d'un ton
morose.

— J'y ai perdu ma journée il n'y a pas si longtemps.

— Et alors?

Il n'était pas de bon poil. J'ai changé de sujet.

— Tu es au courant, pour Will?

J. J. a froncé les sourcils et pincé le nez.

— J'ai entendu dire qu'il avait été pris dans une
bagarre, ou quelque chose comme ça, a-t-il fait comme
s'il n'y attachait pas d'importance.

Je savais que ce n'était pas le cas. Will était son
héros.

— Il s'est fait frapper par W5. Tu vois qui c'est?
Celui qui porte une veste de l'armée. Will a un œil au
beurre noir et il n'est pas à la fête. Il ne t'a rien dit?

Je pensais que ça allait l'énerver que je sois au courant de quelque chose qu'il ignorait à propos de Will. J. J. m'a dévisagé.

— Il n'a pas été le seul.

— W5 t'a battu aussi ?

— Mais non, crétin. Ces trous-de-cul de sans-abri m'ont piqué mon argent quand je rentrais, hier soir. C'est pour ça que je suis arrivé tard. J'en ai assommé deux, mais ils étaient cinq et ils m'ont flanqué à terre.

Il ne me semblait pas trop abîmé. J. J. exagérait. Beaucoup. Il aurait piqué sa crise si on le lui avait dit, mais de toute façon je m'en fichais.

— Tu vas mieux ? ai-je demandé, me disant que c'était la meilleure chose à dire.

— Je tiens le coup. J'attends ma revanche. Tu vas voir. Ils sont faits, ces trous-de-cul.

La porte s'est ouverte et Creeper est entré. J'aurais parié que, en fait, J. J. avait jeté son argent par terre et qu'il avait mouillé ses pantalons. Il ne se battait jamais.

Creeper a pris son temps, et j'ai compris pourquoi quand je suis entré à mon tour. Il en avait mis partout. J'ai fait mes affaires en vitesse et je suis sorti de là.

D'habitude, je quittais les lieux en même temps que J. J. ou Rose et Will, ou un des plus jeunes parmi les Rats de cave, puis on traînait dans les rues ensemble. Mais ça me semblait fantastique d'être seul aujourd'hui. J'avais douze dollars en poche et je pouvais jouer au hockey toute la journée si j'en avais envie. Je connaissais même un endroit où je pourrais faire aiguiser mes patins. Ça me coûterait quatre dollars, mais j'avais l'argent. Et j'en avais besoin.

Je suis passé par la chambre de Lewis d'abord. La nuit dernière, il m'avait averti qu'il aurait besoin de moi pour un paquet. Je me suis donc assis sur son canapé pour l'attendre. J'ai dû m'assoupir un moment parce qu'un bruit de voix venant de l'extérieur m'a réveillé.

— Sois pas si nul. Ça fait une semaine que je prépare ça.

La voix ressemblait à celle de Fitzy.

— Je sais pas, mais je le sens pas.

Ça, c'était Happy D.

— Je vais tenter ma chance vers les studios de télé, a-t-il continué.

— Tu vas laisser passer celle de faire deux cents dollars ce matin ! a sifflé Fitzy.

Happy D a bâillé et a regardé Fitzy avec un grand sourire. Fitzy a fait un pas en avant.

— J'ai besoin de toi, mon vieux. J'y arriverai pas tout seul. On a tout prévu, c'est maintenant ou jamais. Allez, viens.

— Fais-le toi-même.

— Allez, on y va, merde !

C'est à ce moment-là que Fitzy s'est retourné et qu'il m'a vu. Il est devenu tout blanc, comme s'il s'était vidé de son sang. Ses yeux étaient exorbités. Je ne tenais pas à m'attarder. J'ai voulu détaler en direction de l'échelle, mais Fitzy a été plus rapide et il m'a attrapé.

— Une sale petite souris qui vient fourrer son nez dans mes affaires, hein ? s'est-il écrié d'un ton rageur.

Mon cœur battait si fort que je jure que je pouvais l'entendre.

— Tu dis un seul mot de ce que tu as entendu et je t'assure que j'écrase ta sale petite gueule, a-t-il dit à mon oreille.

— Je n'ai rien entendu ! ai-je bégayé. Juste des voix et Happy D qui disait qu'il était fatigué.

— Tu mens ! Et je vais t'arranger la figure jusqu'à ce que tu dises la vérité.

— Pourquoi tant de haine, Fitzy, mon vieux copain, mon ami de toujours ?

Fitzy m'a lâché et a fait un pas en arrière. Lewis a ri de moi et s'est laissé tomber sur le canapé. J'ai reculé pour me rapprocher de lui. Fitzy n'oserait pas s'en prendre à lui.

— Ce maudit petit espion était en train d'écouter une conversation privée entre Happy D et moi, a accusé Fitzy.

— J'ai rien entendu du tout, ai-je fait avant que Lewis me pose la question. Je t'attendais sur le canapé, comme tu m'as dit de le faire. Fitzy a dit à Happy D qu'il voulait qu'il l'accompagne et Happy D a dit qu'il ne voulait pas. C'est tout, je le jure.

Fitzy m'a jeté un regard furieux, mais il était clair qu'il ne tenterait rien en présence de Lewis.

— Tu promets de ne pas dire un mot de tout ça à qui que ce soit ? m'a demandé Lewis. Je dis bien à personne, même pas à Rigger.

J'ai fait oui de la tête comme si ma vie en dépendait.

Lewis a rigolé, puis il a sorti un paquet de son sac et me l'a tendu.

— J'ai besoin que tu apportes ça à la station de métro. Scrunchy Face y sera bientôt et tu ferais mieux de ne pas traîner.

Celui que nous appelions Scrunchy Face était un ami de W5 dont la figure avait l'air complètement fripée. Je ne l'aimais pas. Il se montrait souvent hostile à mon égard et il me rudoyait sans raison.

— Pas de problème, Lewis. J'y vais tout de suite.

Il m'a donné une claque sur l'épaule. Je n'ai regardé ni Fitzy ni Happy D. La station de métro n'était pas sur le chemin de la patinoire, mais ça pouvait aller. Rigger était vautré dans son fauteuil, les jambes par-dessus les accoudoirs. Il a regardé sa montre.

— C'est limite, la Souris. Tu as dix minutes pour disparaître.

Creeper est passé en vitesse, suivi par J. J., Will et Rose. L'œil poché de Will était si enflé qu'il était presque fermé, et il y avait une grosse tache noire dessous.

— Tu viens ? m'a lancé J. J.

— Partez devant, je vous rejoindrai.

Tandis que je grimpais à l'échelle, j'ai regardé en bas et j'ai aperçu Fitzy et Lewis. Ils étaient en train de discuter. Il était clair que Fitzy manigançait quelque chose. En quoi Lewis pouvait-il être intéressé ? Il était bien trop régulier pour se commettre avec Fitzy.

Quand je suis arrivé à l'air froid, mon nez s'est mis à couler. Le froid m'a toujours fait cet effet. C'était énervant et tout le monde se fichait de moi à cause de ça. Ce n'était pas ma faute, je n'avais pas de mouchoir. J'ai grimpé la pente jusqu'à la rue et je suis parti en direction du métro pour livrer le colis. En chemin, je pourrais m'arrêter chez Franklin et acheter quelques *buns* pour déjeuner. Je mourais de faim, comme d'habitude.

Ma livraison étant faite, j'ai tout oublié de Fitzy, de Rigger et de la Cave tout entière. J'avais des patins et j'allais passer la matinée à la patinoire. Les gants que j'avais volés m'allaient parfaitement et le chandail des Leafs me tenait chaud. J'avais froid aux pieds, mais c'était supportable. Une neige légère s'est mise à tomber. Je devais avoir fière allure dans le lent ballet des flocons au-dessus de la glace.

Ça allait être une autre belle journée. Comment pourrait-il en être autrement ? J'avais bien dormi, j'avais de l'argent en poche… et j'allais jouer au hockey !

6

J'adorais le crissement des lames sur la glace. Ça aurait été mieux sans le vent glacial qui me soufflait au visage ou la douleur à mes pieds, les ampoules avaient éclaté malgré les pansements. Mais j'oubliais tout ça en filant sur la glace, je m'imaginais en finale de la coupe Stanley, septième match, prolongation, et la rondelle dans notre camp…

Je me suis figuré qu'un attaquant me mettait la pression et je me suis déporté derrière l'enclave pour l'éviter, puis j'ai coupé vers le centre jusqu'à la zone neutre. « Il est temps d'en finir », me suis-je dit. Là, avec une petite feinte, j'ai déjoué le défenseur, j'ai manié la rondelle puis, à environ cinq pieds de la ligne bleue, j'ai ralenti, tourné la tête de droite à gauche, et frappé le disque qui a bondi dans les airs. Les défenseurs, médusés, étaient déjà loin derrière moi. Pour m'amuser, j'ai incliné mon bâton et j'ai soulevé la rondelle avec la palette, puis j'ai tourné sur moi-même en la propulsant sous la barre transversale.

Les bras en l'air, j'ai fermé les yeux tandis que j'effectuais un pivot vers le centre. Qu'auraient dit les Rats de cave en me voyant marquer le but en prolongation et remporter la Coupe ? Ça en boucherait un coin à Fitzy.

Une rafale glacée m'a rappelé à quel point il faisait froid. Ça devait bien faire deux heures que je patinais. J'avais promis à J. J. de le rejoindre au théâtre et ça ne me ferait pas de mal de ramasser un peu d'argent. Par la même occasion, je pourrais déposer mes affaires dans ma cachette. J'ai récupéré ma rondelle et je suis entré dans le vestiaire.

J'avais à peine enlevé mes patins que ce gardien dépenaillé faisait son entrée, poussant devant lui son seau. Il s'est arrêté au milieu de la pièce et m'a regardé avec une telle insistance que je me suis demandé si j'avais fait quelque chose de mal.

— Je n'ai pas joué trop longtemps, n'est-ce pas ?

Il a secoué la tête et a commencé à nettoyer le plancher.

— Tu patines bien.

Ne sachant trop quoi dire, je l'ai remercié. Puis il a fouillé dans sa poche et m'a lancé un deux dollars sur les genoux.

— Pourquoi est-ce que vous… me donnez ça ?

Il m'a regardé de côté.

— Je sais ce que ça veut dire, un garçon qui patine tout seul le matin. Pas d'école. Pas de maison. Je t'ai déjà vu par ici. J'aime rendre service.

Avant que j'aie pu répondre, il m'avait tourné le dos et recommençait à pousser son seau sur le sol. Je n'en croyais pas mes yeux. C'était vraiment la totale, comme aurait dit Lewis.

Je suis allé cacher mes affaires à l'arrière du théâtre, puis j'en ai fait le tour.

J'ai tout de suite remarqué le manteau rouge de J. J. Il était près de l'entrée principale. Will et Rose se tenaient un peu plus loin. Je me suis dirigé vers eux sans me presser, puis j'ai levé la tête dans leur direction comme si je venais juste de les apercevoir.

— Hé, J. J., quoi de neuf?

Il m'a fait une figure d'enterrement.

— Rien. Trop froid. Personne ne fait attention à moi. Je n'ai fait que cinquante cents de toute la matinée.

J'ai désigné du menton Will et Rose, près des portes latérales.

— Ils ont pas fait mieux. Journée de merde. Je pourrais manger mon bras gauche. Et le droit aussi…

Je ne sais pas ce qui m'a pris. J'ai dû perdre la tête, genre.

— On va acheter des *buns* chez Winston, ai-je dit en montrant le deux dollars que m'avait donné le balayeur.

Le visage de J. J. s'est fendu d'un sourire trop grand pour lui.

— Tu es vraiment génial, la Souris. Vraiment.

Puis les autres m'ont pris au dépourvu.

— Hé, la Souris, ça marche pour toi aujourd'hui! a lancé Will d'un ton chaleureux.

Lui et Rose venaient de nous rejoindre.

Il fallait que je me décide. Will me supportait à peine, et Rose ne valait pas beaucoup mieux.

— Fiche-lui la paix, Will, a-t-elle dit. C'est son argent.

Elle avait les bras serrés autour de la poitrine et les lèvres bleuies. Will tirait sur un vieux mégot. Pour la deuxième fois, je me suis surpris moi-même :

— Allons-y tous ensemble. J'ai trouvé ça sur le trottoir. Jour de chance. Allons manger.

J'ai tourné les talons et me suis dirigé vers chez Winston, sans me préoccuper de savoir qui me suivait. Il était question de nourriture, ils viendraient… Ils le feraient pour l'argent, mais ça me ferait du bien de ne pas rester seul, pour une fois. De toute façon, les Rats de cave adoraient les *buns* de Winston. Il y en avait de toutes sortes. Mon préféré était celui au coco fourré au citron, et chacun coûtait cinquante cents. Nous allions là parce que Winston, habituellement, nous laissait entrer. Ce n'était pas le cas de tout le monde.

Winston se trouvait à son comptoir. C'était un petit Chinois au poil noir, mal rasé. Je ne l'avais jamais vu sourire.

— Je voudrais quatre *buns* au coco, s'il vous plaît, ai-je annoncé d'une voix forte, satisfait de voir qu'ils m'avaient laissé passer la commande – ainsi ils mangeraient ce que je voudrais.

Il en a mis quatre dans un sac.

— On ne mange pas à l'intérieur. Dehors !

— Mais on a payé, a dit Will.

Winston gardait le sac contre sa poitrine.

— On les mangera dehors, j'ai dit. L'air frais nous fera du bien.

Difficile à dire, mais j'aurais juré que Winston avait laissé échapper un sourire. Les Rats de cave avaient une sorte de pari permanent : quiconque faisait rire Winston devait recevoir un dollar de chacun. J'étais en progrès ! Il a posé le sac sur le comptoir et s'est éloigné. Je m'en suis emparé d'un geste et j'ai filé à l'extérieur, où nous avons mangé les *buns* en nous serrant les uns contre les autres. Ils étaient encore chauds, c'était génial. Pendant une seconde, il m'a semblé qu'il faisait moins froid. Pendant une seconde seulement...

— Allons voir si la grille est libre, a proposé Will lorsque nous avons eu fini.

Cette fois, c'est moi qui ai suivi le mouvement. C'était bon de faire partie d'un groupe. Depuis la mort de ma mère, j'avais presque toujours été seul, même à la Cave. Les autres me parlaient rarement, à l'exception de Lewis, bien sûr. Les grilles ne se trouvaient qu'à cinq minutes. Tous les quatre, nous avons tourné au coin de la rue.

Les bouches d'aération du métro étaient un endroit recherché lorsqu'il faisait froid. L'air chaud s'en échappait à travers une grille métallique, sur laquelle on pouvait s'allonger et se tenir au chaud même par les pires nuits d'hiver. Je n'avais pu en profiter que deux fois. Trois hommes et une femme occupaient la grille aujourd'hui. Ils étaient immobiles, je me suis dit qu'ils devaient dormir.

— Bon plan ! a fait Rose.

— Ferme-la, a grogné Will. C'est pas ma faute. Maudits ivrognes.

— On pourrait peut-être retourner à la Cave, a suggéré J. J.

— Il est pas encore cinq heures, idiot, a répliqué Will.

— Ouais, a murmuré J. J. Qu'est-ce qu'on fait, alors ?

Will s'est soudain donné une claque sur la cuisse.

— Je suis bête ! Ça doit être le froid. Allons au centre commercial.

Rose a fait la grimace.

— La dernière fois, on s'est fait jeter. Et je n'aime pas quand tout le monde me regarde comme si j'étais une poubelle. On aura à peine passé la porte qu'on aura les gardiens sur le dos.

— T'en fais pas pour les agents de sécurité, on les verra pas. Tout ira bien.

Je n'avais jamais vu Rose aussi triste. J'ai eu l'impression qu'elle allait pleurer.

— J'ai vraiment froid, Will, a-t-elle dit d'une voix désespérée. Qu'est-ce qu'on va faire ?

— Crois-moi, Rose, lui a-t-il répondu avec une certaine douceur. Allons au centre commercial. Je connais un coin où personne nous trouvera. Il n'y aura pas de problème. On a découvert ça, Creeper et moi.

Il nous a fait un signe de la tête, à J. J. et à moi, en nous demandant si ça nous intéressait. Je n'avais nulle part où aller. Nous avons accepté.

Le centre commercial était à un bon quart d'heure de marche. C'était le seul d'importance au centre-ville. Les gardiens n'aimaient guère les enfants des rues et la plupart du temps ils nous expulsaient en vitesse. C'est pour cette raison que je n'y allais pas souvent. Cependant, même si le plan de Will me paraissait douteux, j'aimais l'idée de traverser la ville en bande. Ma bande ! Je me sentais davantage en sécurité.

7

Nous avons dépassé l'entrée principale sans nous arrêter. Je n'ai pas osé poser de questions à Will, pourtant. Je ne voulais pas gâcher ma chance. Rose n'était pas si gênée.

— Et comment on va entrer, Spiderman? On va escalader les murs?

Will n'a rien répondu. Il a continué de marcher jusqu'à ce qu'on arrive à une porte métallique bleue.

— Je vais l'entrouvrir et vous allez vous glisser à l'intérieur un par un. Attendez-moi derrière. Ne montez pas l'escalier.

Nous n'avons pas eu le temps de dire un mot. Il a introduit une pièce de métal dans la rainure de la porte et, faisant levier, il l'a ouverte. J'étais passé je ne sais combien de fois devant cette porte et je n'avais jamais songé qu'elle pouvait s'ouvrir de l'extérieur. Il fallait le reconnaître, Will et Creeper s'étaient montrés brillants.

Rose est entrée la première, moi le deuxième, puis J. J. nous est rentré dedans.

— Doucement, imbécile, a-t-elle aboyé.

— Où sommes-nous ? a-t-il bredouillé.

— Dans une cage d'escalier, on dirait.

— Non, sans blague.

— Alors pourquoi tu le demandes ?

— Pourquoi es-tu si épaisse ?

— Silence ! a sifflé Will qui venait de nous rejoindre. Vous êtes vraiment des *losers*. Je vais en éclaireur. Restez ici et ne faites pas de bruit. Essayez d'être moins stupides que d'habitude.

Nous avons attendu pendant au moins deux minutes. Bien entendu, Rose et J. J. ont commencé à se chercher des poux et, au bout d'un moment, j'en ai eu assez et j'ai monté quelques marches pour m'éloigner d'eux. L'escalier aboutissait à une porte. Je l'ai entrouverte et j'ai passé la tête. Le bruissement lointain de la foule dans les magasins venait jusqu'à moi.

— La Souris ! a sifflé une voix.

J'ai refermé la porte. Will m'a agrippé par les épaules et m'a plaqué contre le mur.

— Je t'avais dit de m'attendre. T'es sourd ou quoi ?

Je crois qu'il avait déjà oublié qui avait payé les *buns*, mais ce n'était sans doute pas le moment de le lui rappeler.

— Rose et J. J. étaient en train de péter les plombs. J'allais te chercher.

Will m'a relâché. Je savais qu'il me croirait.

— Va dire à ces imbéciles de se ramener, a-t-il ordonné.

Je n'ai pas eu à le faire. Ils avaient dû nous entendre et ils arrivaient.

— Qu'est-ce qu'on fait ici ? a demandé Rose.

Will a souri, ce qu'il faisait lorsqu'il se vantait de quelque chose.

— Creeper et moi, on a déniché cette cage d'escalier. On a coincé le mécanisme de la porte pour qu'on puisse l'ouvrir de l'extérieur. Génial, non ? Maintenant, suivez-moi sans faire de bruit. Ça mène à une tour de bureaux qui donne sur le centre. Il fait plus chaud, là-haut.

Il nous a conduits jusqu'au cinquième étage. Là, il s'est affalé sur le sol. Je n'ai pas attendu l'autorisation. Ça faisait du bien de pouvoir s'allonger. Mes ampoules me brûlaient méchamment. J. J. s'est endormi sur-le-champ ; Rose l'a imité et seuls Will et moi sommes restés éveillés. J'aurais dû le féliciter pour avoir découvert cet endroit, mais je n'avais pas envie d'entamer une conversation avec lui comme s'il était le Messie. J'ai enlevé mon manteau, que j'ai roulé en boule pour me faire un oreiller. Malheureusement, mes ampoules me faisaient vraiment souffrir et m'empêchaient de dormir. J'ai retiré mes chaussures et mes chaussettes et j'ai tiré quelques pansements de ma poche.

— Il faut vraiment que je supporte ce spectacle ? a fait Will. J'ai pas envie de vomir mon *bun*.

— Mes souliers me serrent les pieds, ai-je dit en montrant mes ampoules.

Il a regardé de plus près.

— Comment ils ont pu te faire ça ?

J'ai haussé les épaules et j'ai appliqué les panse-ments, puis je me suis rallongé. Les Rats de cave n'ont guère l'occasion de dormir dans un endroit chaud pendant la journée, et je ne voulais pas perdre une seconde.

C'est un hurlement de femme qui m'a réveillé, et mon cœur s'est emballé. J'ai bondi sur mes pieds. Debout près de la porte, se tenait une femme manifes-tement terrifiée, les mains plaquées sur la poitrine. Elle portait, accroché autour du cou, un grand badge plastifié avec sa photo.

Nous l'avons dévisagée pendant quelques secondes. D'une voix vraiment tremblante, elle a dit :

— Ce n'est pas un hôtel, ici. Vous devez partir tout de suite.

Je pense que les autres étaient aussi sonnés et effrayés que moi, car personne n'a bougé ni dit un mot. La femme a reculé lentement vers la porte.

— Je vais appeler la sécurité si vous ne quittez pas les lieux immédiatement. Vous m'avez fait une peur atroce. Rentrez chez vous.

Pourquoi avait-elle eu peur ? Will a été le premier à dégringoler les escaliers, suivi de près par Rose et J. J. C'est alors que je me suis rendu compte que j'avais ôté mes chaussures. Je les ai ramassées et j'ai croisé son regard. Elle avait l'air moins terrorisée à présent. Plutôt triste.

— Les gens utilisent parfois ces escaliers quand l'ascenseur est lent. Ce n'est pas une bonne idée de rester ici. Tu pourrais avoir plein d'ennuis.

Je ne sais pas pourquoi, ma bouche était remplie de salive et j'ai dû l'avaler une ou deux fois. Elle a désigné mes pieds.

— Mets tes chaussures. Il ne fait pas un temps à aller pieds nus.

Je me suis assis sur une marche et j'ai tâché de les enfiler le plus vite possible. Elle avait une voix assez gentille et je me suis soudain senti honteux de l'avoir effrayée.

— On ne voulait pas vous faire peur, ai-je dit. On voulait juste échapper au froid. La porte était ouverte. Je… je suis désolé.

Elle a replié ses bras en hochant la tête.

— Tu devrais te dépêcher de rejoindre tes amis, a-t-elle fait d'une voix douce.

En passant près d'elle, j'ai mieux distingué sa photo sur le badge. Elle y paraissait un peu plus jeune, très jolie et souriante. Elle s'appelait Jenna. Ça me tuait, qu'on ne puisse pas revenir. Quel endroit parfait, chaud, meilleur que les bouches d'aération ! Le carrelage n'était même pas si froid. Will en serait furieux. Creeper aussi.

Quand je me suis retrouvé dehors, une autre surprise m'attendait. Ils avaient tous fichu le camp. Pourtant, j'aurais pu m'en douter. J'ai regardé aux alentours, mais je n'ai vu personne. Ça m'a blessé de penser qu'ils ne m'avaient pas attendu. Tant que j'avais de l'argent, ils pouvaient le faire. J'aurais bien aimé récupérer mon deux dollars. Je me serais payé quatre *buns*. Un seul ne suffisait pas à assouvir la faim qui me tenaillait. Le problème, avec le hockey, c'est que ça donne faim.

Pire encore, il commençait à faire sombre, ce qui signifiait qu'il ne restait plus beaucoup de temps pour quêter. De plus, il était dangereux de se trouver dehors la nuit. Lewis m'en avait averti d'innombrables fois.

Bien sûr, j'avais encore huit dollars. Après ce qui s'était passé, j'ai décidé que je pouvais bien me faire plaisir. C'était l'heure du hot-dog! Will, Rose et J. J. seraient heureux de savoir que j'en avais mangé un et je n'allais pas manquer de le leur dire, cette fois. Ça leur apprendrait à me laisser tomber. Je me suis dépêché, au cas où le vendeur serait déjà parti.

— Tu deviens un habitué, m'a-t-il dit.

— Ce sera comme d'habitude, ai-je annoncé comme si j'en avais acheté tous les jours.

Le hot-dog terminé, le marchand l'a emballé dans une serviette en papier et il me l'a tendu. Cette fois, je l'ai complété avec des cornichons et des piments. La brûlure dans ma gorge était si réconfortante que j'ai failli en commander un deuxième.

— À demain, ai-je lancé au vendeur.

Il a hoché la tête et est retourné à ses affaires. Puis je me suis mis en route pour la Cave.

8

J'ai atteint la ligne bleue et j'ai tiré. La rondelle a frappé la barre horizontale avant de rebondir à l'intérieur. Ça faisait deux semaines que je venais ici chaque jour. Pas manqué un seul. Je patinais, tirais, maniais la rondelle. Je m'améliorais considérablement, même si ça devenait un peu ennuyeux. Je ne pouvais jouer que des matchs imaginaires.

Sans doute me sentais-je d'autant plus seul que Lewis n'était pas revenu. Fitzy non plus, d'ailleurs. Les rumeurs allaient bon train à la Cave. J. J. disait qu'ils s'étaient fait descendre tous les deux. Je savais que c'était n'importe quoi, mais je commençais à m'inquiéter.

J'ai sorti la rondelle du filet et je l'ai envoyée à l'autre extrémité. J'étais sur le point de faire un autre tir au but lorsque j'ai entendu des voix.

— Il n'y a personne. Allons-y, les gars.

Je me suis lentement rapproché de la bande et j'ai jeté un coup d'œil. Ça sentait mauvais : une bande de

Réglos s'en venait pour jouer. Pourquoi n'étaient-ils pas à l'école ? Mes affaires se trouvaient dans le vestiaire, où ils devaient être en train de chausser leurs patins. Je me suis dit que le mieux était d'attendre qu'ils soient tous sortis avant de filer.

J'ai effectué quelques lancers, mais le cœur n'y était plus. La rondelle est passée par-dessus le filet et a rebondi sur la clôture avant de retomber dans le coin. Comme j'allais la ramasser, trois garçons ont fait leur apparition. C'était les mêmes qui jouaient le jour où j'avais volé mes patins. Il y avait celui qui s'était montré sympa, Rasheed ; le grincheux, Derrick ; et le gros, Collin.

— Fais-moi une passe Rasheed, je sens que je vais l'avoir, a crié Collin depuis la ligne bleue.

Rasheed a fait glisser la rondelle et Collin a tiré sur réception, mais il a raté le filet d'au moins dix pieds. Il a éclaté de rire.

— J'avais placé tous mes espoirs dans ce tir, a-t-il dit.

— Je suis même surpris que tu aies touché la rondelle, a fait Rasheed en plaisantant.

— Moi aussi, a répliqué Collin.

C'était drôle, surtout la manière dont le gros avait répondu. Il a foncé pour récupérer la rondelle et l'a lancée à l'aveugle vers Rasheed. Elle a traversé la patinoire dans ma direction. Ça ne m'arrangeait pas, car j'allais devoir la leur renvoyer, sous peine de passer pour un imbécile. Rasheed a levé son bâton et je lui ai retournée la rondelle.

Il a reçu la passe sans difficulté, ce qui démontrait une certaine adresse. Revenant vers le centre, il l'a envoyée dans le filet d'un lancer des poignets avant de se diriger vers moi.

— Tu veux jouer avec nous?

Dans quoi avais-je mis les pieds? Me tenir avec des Réglos? D'un autre côté, ce serait vraiment nul si je partais comme ça. Est-ce que ce serait si terrible de jouer quelques minutes avec eux?

— Pourquoi pas? Si vous avez besoin de quelqu'un. Je dois partir bientôt, mais…

J'ai haussé les épaules comme si ça n'avait pas d'importance.

— C'est bon.

Puis il s'est retourné et il a placé ses mains en porte-voix.

— On joue à deux contre deux en attendant les autres. On joue contre vous.

Derrick a fait le tour du filet et a passé à Collin.

— Je prends Collin, m'a dit Rasheed. Toi, surveille Derrick. Et fais attention: il est rapide.

Collin a passé à Derrick. J'ai bien anticipé que Derrick allait essayer de me déborder sur la gauche près de la bande. Mais comme Rasheed m'avait prévenu de me méfier de sa vitesse, j'étais prêt, et tout ce que j'avais à faire était de l'en empêcher et ensuite de dégager la rondelle.

Je me suis dirigé vers le coin. La glace était vraiment mauvaise et il n'a pas été facile de prendre le contrôle du disque, mais j'ai quand même réussi. Derrick s'est lancé tandis que je faisais le tour du filet. Je devais le semer. J'ai freiné et j'ai fait demi-tour. Derrick m'a dépassé. J'ai jeté un rapide coup d'œil en arrière. Derrick ne se pressait pas de revenir, nous étions donc à deux contre un.

Collin attendait au centre.

— Tu n'as aucune chance de passer, je suis un mur !

Pour être franc, il avait l'air impressionnant. J'ai pivoté en vitesse et je me suis retrouvé seul passé la ligne bleue. Rasheed a frappé la glace avec son bâton pour demander la rondelle, je la lui ai passée du revers et il a lancé directement sur le poteau.

Rasheed a fait comme s'il venait de marquer un but extraordinaire et il a levé les bras en l'air. Je suis revenu de notre côté.

— Quelle passe ! m'a dit Rasheed. Où est-ce que tu joues ?

— Je joue ici, ai-je répondu sans bien comprendre sa question.

Il a éclaté de rire. On aurait dit qu'il riait tout le temps.

— Je veux dire : dans quelle équipe es-tu ?

Il parlait d'une équipe dans une ligue, pensant manifestement que j'étais un Réglo, moi aussi. Je me suis demandé ce qu'il dirait en apprenant qui j'étais réellement. De toute façon, je ne connaissais le nom d'aucune équipe et je ne pouvais pas improviser.

— Je ne joue pas dans une équipe. Je patine juste comme ça.

Collin et Derrick attaquaient et il a fallu cesser de discuter. Derrick montait à gauche avec la rondelle. Collin a feint d'aller au centre et s'est rabattu sur la droite. Je l'ai suivi et Rasheed a filé pour mettre la pression sur Derrick. Il est passé près de la bande et a traversé la ligne bleue. Collin a fait demi-tour et l'a appelé. Derrick a tenté une passe arrière, mais cette fois j'ai pu m'interposer et j'ai intercepté la rondelle.

Collin et Derrick m'ont acculé contre la bande.

— Hé, par ici !

Rasheed se trouvait seul dans l'enclave près de notre filet, agitant son bâton au-dessus de sa tête. Je lui ai passé la rondelle entre les jambes de Collin. Rasheed a fait comme s'il avait l'intention de la transporter du côté gauche, mais Derrick s'est interposé et Rasheed a dû faire demi-tour. Collin s'est élancé tout en gardant un œil sur moi. Rasheed m'a fait une passe en arrière et s'est lentement dirigé vers la droite. Puis, tout à coup, il s'est glissé entre Derrick et Collin. Je lui ai fait une passe impeccable et, rapide comme l'éclair, il s'est retrouvé en échappée. Je l'ai applaudi en frappant la glace avec mon bâton.

— Belle passe encore ! a dit Rasheed tandis que Collin récupérait la rondelle dans le filet. Tu jouais avec qui, l'année dernière ?

— Je te l'ai dit, je ne joue pas vraiment pour une équipe. Je l'ai fait quand j'étais plus jeune.

— Es-tu pee-wee cette année ?

Je savais que « pee-wee » désignait une tranche d'âge, mais je ne me rappelais pas exactement laquelle.

Il m'a regardé de plus près. Par chance, je n'ai pas eu à lui répondre parce qu'un groupe d'autres garçons venait d'arriver bruyamment sur la glace. Ils devaient être huit ou neuf. Il était temps pour moi de déguerpir.

— Heu... je dois y aller, ai-je dit à Rasheed. Vous n'avez plus besoin de moi. Salut.

Je ne lui ai pas laissé le temps de répondre et j'ai rapidement quitté la patinoire.

— À plus! m'a-t-il lancé.

En un rien de temps, j'ai enlevé mes patins et je les ai fourrés dans mon sac. C'est alors que je me suis souvenu de ma rondelle. J'étais tellement nerveux en quittant la glace que je l'avais oubliée. Elle était perdue. *Loser*! Il n'était pas question de remettre mes patins. J'étais tellement en colère contre moi-même que je n'ai pas vu Rasheed arriver.

— Hé, tu as oublié ta rondelle. La voilà.

Il me l'a lancée.

— Toujours en visite chez ton oncle?

— Heu... oui, oui, chez mon oncle.

— La prochaine fois, reviens par ici, peut-être qu'on y sera.

— D'accord. Peut-être.

Comme il s'en allait, je lui ai fait signe de la main.

Un type sympa. Enfin, il était temps de partir. J'avais vraiment faim après ce jeu. Mon estomac gargouillait férocement. Un peu au hasard, j'ai jeté un coup d'œil dans la poubelle, et les yeux ont failli me sortir de la tête. Un minable y avait jeté la moitié de son sandwich, et pas un petit! Riant de ma chance, je me suis penché pour l'attraper.

— Tu as perdu quelque chose?

J'ai fait volte-face, cachant le sandwich derrière mon dos. Rasheed souriait.

— J'ai laissé tomber un dollar dans la poubelle. Pas fort. Je ne vais pas m'ennuyer à chercher. C'est trop sale, là-dedans.

Rasheed souriait toujours. Il avait l'air perpétuellement heureux.

— J'ai oublié de te dire. C'est une journée pédagogique aujourd'hui, normalement, on ne devrait pas être là. Mais tous les samedis matin, on improvise un match vers dix heures. Viens si tu veux. Toi et moi, on fait une bonne équipe. On pourra encore écraser Collin et Derrick.

Il avait une façon de dire ce genre de chose sans se montrer insultant pour qui que ce soit. Cependant, il n'en était pas question.

— Je ne suis pas certain de pouvoir, je n'habite pas dans le coin. Peut-être. Je vais essayer.

— Super! a fait Rasheed avec un grand sourire. À bientôt.

J'ai laissé échapper un long soupir. J'aurais vraiment été mort de honte s'il m'avait vu ramasser de la nourriture dans la poubelle. Je n'aurais jamais pu revenir. Les Rats de cave comprenaient que, parfois, il faut se résoudre à fouiller les poubelles; un Réglo aurait simplement pensé que j'étais taré.

J'ai regardé le sandwich. Il était à moitié mangé. Je ne me suis pas senti très bien. Un peu dégoûté. Avant la mort de ma mère, jamais je n'aurais touché à la nourriture de quelqu'un d'autre, moins encore pour la manger. Mais mon estomac allait gagner la partie. Comme toujours. Je suis parti en courant pour que Rasheed et ses amis ne me voient pas et, passé la première bouchée, je n'ai pas pu m'arrêter.

C'était vraiment bon.

9

C'est la toux de Rose qui m'a réveillé. Elle avait toussé toute la nuit comme une folle, Will lui disant de se taire toutes les cinq minutes. C'est surtout lui qui m'avait empêché de dormir, en fait. Il était vraiment pénible, ce n'était pas sa faute si elle toussait. Même si elle se moquait de moi, elle n'était pas vraiment méchante. Du moins pas autant que lui.

J'ai entendu des voix provenant des « suites de luxe », de plus en plus fortes. L'une d'entre elles a dominé les autres. Fitzy ! Lewis était-il lui aussi de retour ? J'ai jailli de mon sac de couchage, j'ai mis mon manteau et je me suis précipité dans le couloir.

— Qu'est-ce qui t'excite comme ça, la Souris ? a fait Creeper comme je passais devant lui.

Je n'ai rien répondu et je me suis rendu à la chambre de Lewis. Il était là, étendu sur son divan, les pieds dépassant de l'accoudoir, un bras sur les yeux.

— Lewis, où étais-tu passé ? Je croyais que tu ne reviendrais plus.

Il n'a pas répondu. Je me suis avancé lentement et j'ai regardé au-dessus de sa tête. Il a retiré son bras.

— Dégage, a-t-il dit. Je suis pas d'humeur.

— Je voulais juste savoir…

— Fous le camp! a-t-il grogné hargneusement.

Lewis ne m'avait jamais parlé comme ça. Que lui était-il arrivé? Je suis parti, ce qui s'est révélé être une bonne idée, car Fitzy était en train de raconter aux autres ce que Lewis ne voulait pas me dire.

— Ça aurait dû être simple. Le plan parfait.

Même Rigger s'était approché pour écouter.

— Ce copain à moi travaille dans un magasin d'informatique. C'est fermé le lundi. On s'est arrangés pour que l'alarme soit désactivée et la porte arrière débarrée. Lewis et moi, on y est entrés vers minuit et en un rien de temps on avait ramassé des douzaines de iPod et de téléphones, et même un peu de *cash*. C'était génial.

Il a rigolé et a passé sa langue sur ses lèvres.

— Évidemment, ce crétin avait dû oublier de débrancher l'alarme parce que tout d'un coup, une sirène d'enfer s'est déclenchée. Je vous le dis, j'ai failli avoir une attaque.

Je n'ai pas pu me retenir:

— Et Lewis, qu'est-ce qu'il a fait? ai-je lâché.

Fitzy et quelques autres m'ont dévisagé comme si j'avais été un Martien, puis Fitzy a continué:

— On a voulu se sauver, mais on est rentrés en plein dans cinq polices qui s'amenaient par la porte de derrière, et puis autant sont arrivés par celle de devant.

On a eu une maudite armée de bœufs sur le dos et tout ce que je sais, c'est qu'on s'est retrouvés menottés, Lewis et moi, et jetés à l'arrière d'une voiture de police.

— Ils vous ont permis de passer un coup de fil ? a demandé Happy D.

— Ouais. J'ai appelé le président des États-Unis.

— Qu'est-ce qu'il a dit ?

— Je ne l'ai pas vraiment appelé, abruti.

— Continue, a dit Brachy.

— Quelqu'un a à bouffer ? Je crève de faim. On n'a rien mangé depuis deux jours.

Brachy lui a tendu un morceau de pain. Fitzy s'est jeté dessus comme un animal avant de continuer.

— On a passé la nuit en prison. Sans rire ! C'est vrai ! Une espèce d'ivrogne a frappé Lewis à la tête, juste comme ça, sans raison. C'était dingue. J'ai cru qu'on allait mourir, je vous jure. Ensuite, on a comparu devant un vrai juge. Il avait une robe noire et tout le reste, comme à la télé. Comme on a moins de dix-huit ans, on a eu droit à une vraie avocate. Sans rire ! Notre avocate à nous. Elle portait une robe noire, elle aussi.

« J'avais monté une histoire pour Lewis la nuit précédente. Je l'avais fait répéter jusqu'à ce que ça sonne juste. Mon idée était de dire qu'on était deux frères vivant dans la rue parce que notre père nous battait et qu'on mourait de faim et qu'on voulait juste de quoi manger. »

Lewis est passé tout près de moi.

— Est-ce que tu leur as raconté comment tu t'es mis à chialer quand notre avocate a dit qu'on pouvait être jugés par un tribunal pour adultes et qu'on risquait dix ans de prison ?

— Tu dis n'importe quoi, a répliqué Fitzy en reniflant. Tu sais très bien que je t'ai sauvé la mise.

— Sauvé la mise ! s'est écrié Lewis, bouillant de fureur. C'est à cause de ton plan pourri que j'ai été arrêté !

Ils se sont lancé un regard plein de haine et j'ai cru que Lewis allait le frapper. Il en avait vraiment envie, et je ne comprenais vraiment pas pourquoi, dès le début, il était allé dans ce magasin. Lewis savait que Fitzy était un raté total.

Il l'a frappé du revers de la main et il est parti en direction de l'échelle sans dire un mot. J'ai trouvé ça excellent. Il faudrait que je me souvienne de ce mouvement la prochaine fois que J. J. ou Will m'embêteraient.

— Il a perdu la tête, a fait Fitzy avec calme. Parlant de chialer, il était pratiquement en sanglots, dans la cellule, quand ce type lui est rentré dedans. Je l'ai tiré de là, et voilà comment il me remercie. Quel salaud !

Il a éclaté de rire et a terminé son pain. Je savais qu'il avait menti à propos de Lewis. Jamais Lewis n'aurait pleuré.

— Le meilleur, c'est que notre avocate a gobé mon histoire et qu'elle a convaincu le juge que la prison était trop rude et que c'était un mauvais environnement pour nous. Le juge a accepté de nous envoyer dans un foyer de transition.

J'avais déjà entendu parler de ça. Des foyers pour les jeunes contrevenants. Lewis disait qu'ils étaient gérés par des travailleurs sociaux, des types qui y croyaient et pensaient pouvoir résoudre les problèmes de tout le monde rien qu'en en parlant et autres conneries de ce genre.

— Vous auriez dû me voir. « Oh merci, monsieur le juge ! » que j'ai dit. « J'ai juste besoin qu'on me donne la chance de reprendre le droit chemin. » En tout cas, dès qu'on a pu, Lewis et moi, on s'est sauvés par une fenêtre, pendant la nuit. Ce stupide endroit est à des milles d'ici. Ça nous a pris une journée pour revenir.

Rigger s'est avancé.

— T'as rien dit aux bœufs à propos de la Cave, j'espère.

Rigger pouvait avoir l'air vraiment terrible quand il le voulait. Fitzy s'est mis à rire en se tapant sur les cuisses comme s'il n'avait jamais rien entendu d'aussi drôle.

— Es-tu fou ? Je n'ai pas dit un mot. J'ai joué la *game* comme un vrai pro. « Je vis dans la rue, Votre Honneur », que j'ai dit – c'est comme ça qu'on appelle les juges : Votre Honneur. « Votre Andouille », ce serait mieux, si vous voulez mon avis.

— Et Lewis ? a repris Rigger à voix basse. Tu l'as entendu dire quelque chose ?

Fitzy a haussé les épaules.

— Je ne sais pas. Il a été vraiment bizarre avec moi. Je ne l'ai rien entendu dire, mais comment je peux en être sûr ?

Rigger a grommelé quelque chose et son œil gauche s'est mis à loucher. Je ne pouvais pas laisser passer le mensonge de Fitzy.

— Lewis n'aurait pas fait ça, ai-je dit, emporté par la colère. Jamais il n'aurait parlé de nous à la police. C'est n'importe quoi. Pourquoi il l'aurait fait? Et il est revenu ici, non?

— La petite souris nous fait sa crise, a fait Fitzy en contrefaisant une voix d'enfant. Tu es triste parce que ton héros est devenu un bébé qui pleure?

J'aurais voulu lui écrabouiller la tête, mais il avait seize ans et était pas mal plus grand que moi. Il m'aurait battu avant même que je l'aie touché. J'ai fait comme Lewis et j'ai tourné les talons. J'ai grimpé l'échelle jusqu'au niveau de la rue en faisant bien claquer mes pieds à chaque barreau.

Lewis était assis près de la porte sur un tabouret, fumant une cigarette. Il savait faire des ronds de fumée et pouvait même les souffler l'un à l'intérieur de l'autre. Il ne voulait pas m'apprendre à le faire, il disait que fumer n'est pas bon pour la santé. Mais il fumait. Parfois, je ne le comprenais pas.

J'ai jeté un coup d'œil à la porte pour vérifier si la voie était libre.

— À plus tard, ai-je dit d'un ton le plus amical possible.

— Occupe-toi plutôt de toi, la Souris.

Mais sa voix, à présent, dénotait moins la colère. J'ai péniblement avalé ma salive.

— Est-ce que ce type t'a fait mal? Je veux dire, à la prison… Cet ivrogne qui t'a frappé.

Il a souri légèrement.

— Fitzy peut exagérer autant qu'il veut, surtout quand il a un public. Je sais me débrouiller tout seul.

— Personne ne voudrait s'attirer des ennuis avec toi, Lewis.

J'en étais persuadé. J'aurais parié que même Rigger avait peur de lui.

— Alors, où est-ce que tu vas traîner, par cette belle matinée?

C'était le bon vieux Lewis d'autrefois.

— Je vais à la patinoire. J'y vais tous les jours depuis plus de deux semaines. J'ai même joué avec des Réglos hier.

Je savais que je n'aurais pas dû lui dire ça.

— Ne te mêle pas aux gars normaux. On ne peut pas leur faire confiance. Ils ne sont pas comme nous.

— Je sais. Ça n'a pas duré cinq minutes.

Il m'a regardé un instant, puis il a ri.

— C'est pas ça qui va te tuer.

J'ai ri aussi. Nous étions redevenus amis. Il m'avait tellement manqué. Je me suis dit qu'il valait mieux faire comme s'il n'était jamais parti.

— As-tu faim? a-t-il demandé.

— Un peu, je pense.

— Suis-moi, a-t-il fait en se levant. J'ai une boîte de thon et du pain. En plus, je dois te parler d'une affaire dont j'ai besoin qu'on s'occupe.

Je l'ai suivi et nous sommes redescendus à la Cave.

10

J'ai cessé de compter le nombre de fois où j'ai hésité entre aller au marché et jouer au hockey avec Rasheed et ses amis. En premier lieu, je me suis dit que j'étais trop fatigué ; ensuite, j'ai pensé chercher des bouteilles de bière vides pour les porter à la consigne ; puis j'ai décrété que Rasheed ne tenait sans doute plus à ce que je joue avec lui puisqu'il ne me connaissait pas. J'ai dû en arriver à des milliers de raisons de ne pas jouer... et voilà que j'étais rendu devant la patinoire, plus mal à l'aise que je ne l'avais jamais été. J'avais peur de ces types. Mais pourquoi ? Les Réglos n'étaient pas aussi durs que les Rats de cave. Ils n'auraient jamais passé une journée dans la rue avant d'aller retrouver leur maman.

Rasheed avait dû m'apercevoir par la fenêtre parce qu'il a ouvert la porte et m'a fait signe. Je n'avais plus le choix. Je suis entré.

— Génial ! s'est-il exclamé. On n'était que sept, mais maintenant on peut jouer à quatre contre quatre.

Je lui ai rendu son sourire, même si je pense que j'avais plutôt une tête d'idiot. Il m'a donné une tape sur l'épaule.

— Jette ton bâton vers l'extérieur quand on formera les équipes, a-t-il murmuré. Je veux être sûr qu'on sera dans la même.

— OK, ai-je fait, sans trop comprendre ce qu'il avait en tête.

— Hé, les gars! a déclaré Rasheed. On peut faire deux équipes à présent.

Ses amis ont à peine levé le nez. Ils n'avaient pas l'air particulièrement ravis de me voir. Collin m'a dévisagé, ce qui m'a mis encore plus mal à l'aise et m'a fait me sentir honteux. Puis il a posé la question que je redoutais:

— Au fait, pour quelle équipe tu joues?

Les autres ont entendu et ils attendaient la réponse.

— Je l'ai dit à Rasheed… je joue simplement ici, sur la patinoire…

Collin a posé d'autres questions et je me suis senti rougir d'être le point de mire de tout le monde.

— Tu joues pee-wee? Es-tu dans le AA? Où est-ce que tu habites?

Rasheed, Derrick et les autres se sont mis à rire.

— Pourquoi tu ne lui poses pas dix autres questions à la fois? a dit Rasheed.

Collin a imité les autres et il a pointé un doigt sur moi:

— J'ai besoin d'information sur le gars qui m'a tellement écrasé que j'ai l'impression de jouer dans une équipe de quartier.

J'avais des tas de choses à faire et j'étais là à essayer de jouer au hockey avec une bande de Réglos qui paniqueraient s'ils venaient à apprendre qui j'étais vraiment.

— Tu as échappé à une question, a repris Rasheed. Tu t'appelles comment?

— Jonathon.

— Et… tu ne joues dans aucune équipe, c'est ce que tu as dit à Rasheed? a dit Derrick.

Ces questions étaient mal venues. J'ai pensé à m'enfuir, jusqu'à ce qu'une idée me traverse l'esprit.

— On a déménagé de Brentwood. J'y jouais avec les Hawks. Je ne trouvais pas d'équipe… alors j'ai décidé de m'entraîner ici quand je viens voir mon oncle. Et d'attendre l'année prochaine.

— Tu n'as pas pu trouver d'équipe parce que tu as manqué les camps d'entraînement en avril? a demandé Collin.

J'ai hoché la tête, soulagé qu'il se contente de ma réponse. Rasheed s'est levé.

— Dépêchez-vous, bande de paresseux! J'ai besoin d'en déjouer quelques-uns. C'est bon pour mon moral, vu qu'on a perdu tous les matchs de la saison.

— On n'a rien à faire à jouer dans le AA, a dit Collin en riant d'une façon qui signifiait qu'il s'en fichait un peu.

— On pourrait gagner… si tous les gars le voulaient, a grommelé Derrick.

— On ne marque pas de buts, c'est ça le problème, a ajouté Rasheed. Tout ce dont on a besoin, c'est d'un gars qui mette la rondelle dedans!

C'était la première fois que je l'entendais dire quelque chose sérieusement.

— Je n'arrête pas de vous dire de foncer au filet, a lancé Collin en se frappant la poitrine. Je vais vous le remplir, le *net*, moi.

Ses amis se sont mis à le traiter de tous les noms, mais d'une manière différente de celle que je connaissais parce que c'était fait sans intention de blesser, comme pour lui montrer que, en fait, on l'aimait bien. Je n'avais pas entendu des garçons se parler ainsi depuis je ne sais combien de temps. Ça ne se faisait pas à la Cave. J'avais comme oublié la façon de parler des Réglos.

Nous nous sommes dispersés sur la glace, patinant, lançant la rondelle dans les filets. Bientôt, Collin s'est écrié :

— Les bâtons au centre !

Je me suis arrêté près de lui, tandis que les autres continuaient à s'entraîner.

— Ne sois pas dupe, m'a-t-il dit. D'habitude, ils m'écoutent.

J'étais toujours tellement nerveux que je n'ai pas su quoi répondre.

— C'est une blague, a repris Collin.

Mon cerveau s'est enfin débloqué.

— Je m'attendais à quelque chose de mieux.

Collin a éclaté de rire.

— Je ne suis pas encore échauffé, a-t-il fait en jetant son bâton sur la glace. Et comment le serais-je, par moins vingt ?

Quelques garçons nous ont rejoints et ont lancé leur bâton sur celui de Collin. Rasheed m'a fait un clin d'œil en désignant le sien, et j'ai laissé tomber le mien par-dessus.

— Je vais faire le partage, a dit Rasheed en commençant à faire deux tas avec les bâtons.

Il a lancé le sien dans le même que le mien. C'est alors que j'ai compris. C'est ainsi qu'ils formaient leurs équipes. C'était censé être fait au hasard. J'ai récupéré mon bâton et j'ai suivi Rasheed dans notre camp. Il m'a désigné un garçon de grande taille avec une tuque des Penguins de Pittsburgh.

— Lui, c'est Jacob. Nous jouons sur la même ligne, avec Derrick.

Jacob m'a fait un signe de la tête. L'autre garçon m'a tendu son gant, que j'ai frappé avec le mien.

— Je m'appelle Matthew. Rasheed m'a dit que tu jouais comme un pro.

J'ai rougi. Je déteste ça. C'est tellement nul !

— Tu joues aussi avec Rasheed ?

C'est tout ce que j'ai trouvé à dire.

— Jouer avec ces types ? a fait Matthew comme si l'idée en était ridicule.

— On ne veut pas de lui, a lancé Rasheed en riant, alors il est obligé de jouer avec les Red Wings. Il se trouve que c'est la meilleure équipe de la ligue.

— Rien ne peut arrêter la Colomotive, a rugi Collin en fonçant vers la droite.

— Tous après lui, les gars ! a déclaré Rasheed.

Matthew s'est élancé pour jouer en attaque, et Jacob l'a suivi. Je suis allé vers l'arrière pour être en défense. Rasheed a poursuivi Collin jusqu'à la bande et lui a fait perdre la rondelle. Celle-ci s'est retrouvée dans le coin, où j'ai pu la récupérer et la transporter derrière le filet. Matthew se tenait près de la bande, au niveau du cercle de mise en jeu. Je lui ai fait une passe. Il s'est avancé un peu, a rapidement regardé vers sa gauche et il m'a renvoyé la rondelle du revers.

Derrick s'est rué pour mettre la pression. D'instinct, j'ai feinté et fait glisser le disque entre ses patins, puis j'ai poursuivi vers l'extérieur. Ce Matthew savait jouer. Il avait anticipé mon mouvement et déjà il traversait leur ligne bleue. Je lui ai repassé la rondelle et il a foncé vers la gauche, puis a passé à Rasheed. L'enclave était déserte et je m'y suis faufilé. D'un coup léger, Rasheed m'a retourné la rondelle.

Le défenseur a lâché Jacob et a essayé de m'arrêter avec son bâton. J'ai pris la rondelle du revers et l'ai fait passer à droite. Du coin de l'œil, j'ai aperçu Matthew, qui avait continué jusqu'au filet. Je lui ai passé la rondelle, qu'il a balancée droit sur le poteau.

— Il a marqué! s'est écrié Rasheed en levant son bâton par-dessus sa tête.

J'aurais plutôt mis la rondelle dans le filet, mais ce chanceux de Matthew avait été plus rapide. J'avais oublié qu'ici, il fallait frapper le poteau pour marquer.

Matthew est arrivé derrière moi et m'a tapé dans le dos.

— Le jeune sait jouer, a-t-il dit avec emphase.

— Beau but, ai-je répondu, et je le pensais.

— Vous devriez au moins essayer de nous ralentir, a lancé Rasheed à l'équipe adverse.

— Les équipes sont trop ramassées, s'est plaint Collin.

— Quand une équipe aura marqué cinq buts, on changera, a dit Rasheed.

Ça ne nous a pas pris plus de cinq minutes. Jouer avec Matthew et Rasheed, c'était magique. Ils se trouvaient toujours là où ils devaient être et j'anticipais bien le jeu. Jacob essayait de s'interposer, mais nous l'ignorions. Pour notre dernier but, Rasheed, Matthew et moi avions dû passer une dizaine de fois autour du filet, avant que je ne me glisse derrière un joueur et que je n'envoie la rondelle sur le poteau.

Le type n'a manifestement pas aimé. Il a frappé un grand coup avec son bâton et m'a atteint au menton juste au moment où je venais de marquer le but. La douleur était si vive que j'en ai perdu le souffle. Pas pleuré, cependant. Les Rats de cave ne pleurent pas quand ils sont blessés. Je me suis détourné et je me suis essuyé les yeux, comme si j'avais eu une poussière dans l'œil, ignorant la douleur.

Personne ne m'a vu – ou du moins personne n'a rien dit.

— Bon coup, Jonathon, a dit Rasheed en me tapant dans le gant.

— Le Jojo est tout feu tout flamme, a dit Matthew à plusieurs reprises.

J'ai ri avec eux. Ces garçons étaient quand même drôles. Ça faisait cinq buts. Je suis reparti en glissant sur une jambe vers le centre, espérant que je resterais dans l'équipe de Rasheed et Matthew.

J'ai alors entendu une voix grave, profonde et forte venant de l'extérieur de la patinoire.

— Hé, Rasheed! J'en ai assez vu. Pourquoi tu ne me présenterais pas ton nouvel ami?

11

Rasheed m'a tiré par un bras jusqu'à un homme qui se tenait de l'autre côté de la bande. Les Rats de cave savaient mieux que personne qu'on ne peut pas se fier aux adultes, aussi suis-je resté sur mes gardes.

— Comment tu t'appelles, mon garçon ?

— Jonathon.

— Bien, Jonathon. Tu as fait du bon travail ici. Tu patines bien. J'aime ta créativité et la qualité de ton lancer. Ces choses-là ne s'apprennent pas. Rasheed m'a dit que tu viendrais peut-être ce matin et, sur la foi de ce qu'il m'a dit, j'ai pensé que ça vaudrait le coup de te voir jouer.

J'étais vraiment mal à l'aise. Lewis m'avait mis en garde contre les agents du gouvernement qui cherchent les jeunes de la rue pour les jeter en prison ou en foyer d'accueil. Est-ce que c'était ça qui me pendait au nez ? L'homme n'avait pas l'air méchant, cependant, il arborait un grand sourire et semblait bienveillant.

— J'imagine que tu te demandes qui je suis. Je suis l'entraîneur de Rasheed. Ma mère m'appelle Luigi, mais tous les autres m'appellent Lou. En tout cas, un de nos avants s'est blessé récemment. Il s'est cassé la jambe en faisant de la planche à neige et il nous manque un joueur.

Il a serré les lèvres et a agrippé la clôture.

— J'ai cru comprendre que tu n'avais signé avec personne ?

J'ai tourné la tête vers Rasheed, cherchant de l'aide.

— C'est vrai, Lou, a-t-il dit.

— Excellent, a-t-il conclu en plissant la bouche d'un côté. Tu n'es pas le plus grand gars que j'aie vu. Tu mesures combien ?

— Je ne sais pas exactement, ai-je murmuré.

Comme si j'avais besoin qu'on me rappelle que je suis petit !

— Mais avec ta vitesse, ça ne devrait pas poser de problème.

Il s'est frotté le menton avec la main.

— Ça t'ennuierait de faire quelques lancers au filet ?

— Hé, Collin, passe-nous quelques rondelles, veux-tu ? a crié Rasheed.

— Pas de problème, a répondu Collin.

Il en a envoyé tout un paquet. Je me suis senti bête en venant me placer sur la ligne bleue tandis que les autres s'arrêtaient de jouer pour regarder. Je ne voulais pas laisser tomber Rasheed, alors je les ai disposées et j'en ai lancé quelques-unes en rafale juste sous la barre transversale. Une autre a frappé le poteau. Je crois que je m'en suis bien sorti. En tout cas, les garçons ont frappé la glace avec leurs bâtons.

Lou m'a appelé.

— Tu préfères que je t'appelle Jonathon, Jon ou Jonny?

— Ça m'est un peu égal.

— Pour moi ce sera Jonny. Un bon nom de hockey. Quand j'étais jeune, j'adorais Johnny Bucyk, un joueur des Bruins. Je suppose que tu… Non, sans doute pas, il était déjà à la retraite que tu n'étais pas encore né.

Il s'est éclairci la gorge.

— Jonny, j'aimerais t'inviter à notre prochain entraînement. Patine un peu avec nous et, si ça te plaît, peut-être que tu pourras nous aider pour le reste de la saison.

— Un peu d'aide ne nous ferait pas de mal, a plaisanté Collin.

Lou a éclaté de rire.

— Vous, les gars, vous valez mieux que vous ne le pensez. Je me tue à vous le dire. Vous finirez par gagner.

Puis il s'est tourné vers moi.

— Qu'est-ce que tu en dis, Jonny?

J'aurais tout donné pour dire oui. Mais c'était impossible. Les Rats de cave ne jouent pas au hockey. Même pas la peine d'y penser. D'ailleurs, je n'avais pas d'équipement et, après ce qui était arrivé à Lewis, j'étais vacciné question vol. Je me suis dit que cette absence d'équipement était un bon moyen de dire non.

— J'aimerais bien. Merci pour la proposition. Mais je n'ai pas d'équipement et…

— Pas de problème.

Lou a littéralement explosé de rire et il s'est tapé sur les cuisses.

— Notre commanditaire fournit les culottes et le casque, et j'ai trois garçons et une fille qui jouent au hockey. J'ai assez d'équipement à la maison pour habiller dix équipes. Tu as besoin d'épaulettes, de jambières et de protège-coudes, c'est ça?

Je me suis senti pris de vertige.

— Et pour la coquille? Certains garçons n'aiment pas porter celle de quelqu'un d'autre. Est-ce que ça te gêne?

J'ai secoué la tête.

— Parfait! On se voit mardi soir. L'entraînement est à l'aréna Win Hadley Memorial à huit heures. Tu as besoin qu'on passe te prendre?

C'était dingue!

— On pourra l'amener, a dit Rasheed.

— Excellent! Bien hâte de te revoir, Jonny.

Il m'a salué de la main.

— Amusez-vous bien, les garçons, a-t-il lancé en s'éloignant.

— C'est super, m'a dit Rasheed. Où est-ce que tu habites, pour qu'on vienne te chercher?

— Il vous arrive de jouer au hockey, vous deux? a crié Derrick. Pressez-vous.

— On se calme, a répliqué Rasheed.

Je me suis dit que la meilleure chose à faire était d'accepter puis de ne pas y aller.

— Ma maison est assez loin. Ce serait plus simple de nous retrouver ici.

— Ça ne gênera pas mon père d'aller te chercher. Tu es sûr ?

— Certain. Je traîne beaucoup du côté de chez mon oncle... après l'école.

Je devenais un vrai pro du mensonge.

— On se retrouve ici à sept heures, alors.

— Allez, les bâtons au centre ! a crié Collin. Cette fois, je joue avec Jonathon.

La tête me tournait littéralement. Je venais d'être invité à faire des essais pour une véritable équipe de hockey. Je savais que je ne pouvais pas jouer, mais c'était bon de pouvoir penser à autre chose que quêter au marché ou me colleter avec Fitzy et Will – ou avec n'importe lequel des Rats de cave.

J'ai pris mon bâton et j'ai suivi Collin à l'autre bout de la patinoire. J'ai décidé de ne plus penser à tout ça jusqu'à la fin du match.

La rondelle a jailli vers la bande et je me suis précipité pour la rattraper.

12

Will s'est enfoncé dans son sac de couchage et s'est intercalé entre Rose et moi. J'ai remonté mon sac jusqu'à la poitrine – il était trop petit pour aller plus haut – et j'ai secoué mes épaules aussi fort que j'ai pu. Je n'arrivais pas à me débarrasser de ce froid.

— Arrête de trembler, la Souris, a dit Will. T'es vraiment emmerdant.

Il faisait tellement froid que Rigger nous avait laissés entrer une heure plus tôt, et nous étions entassés les uns sur les autres dans la pièce pour nous réchauffer. La journée avait été terrible. Même les Réglos n'avaient pas mis le nez dehors et je n'avais pas récolté un cent.

— Je ne sens plus mes pieds, a gémi J. J. pour la centième fois, et il s'est mis à les frotter l'un contre l'autre.

— Arrête de te tortiller, a crié Will.

— Et toi, est-ce que tu pourrais cesser de délirer ? a dit Rose. T'es plus énervant que les deux autres réunis.

— C'est toi qui es tarée, a répliqué Will, puis il a relevé son sac par-dessus sa tête.

— Trop nul... trop nul, a murmuré Rose en se retournant sur le côté.

Le calme est revenu et, naturellement, j'ai pensé à l'entraînement de ce soir. Ça m'avait obsédé toute la journée : irais-je, n'irais-je pas ? J'avais même fait aiguiser mes patins. Chaque fois que je me convainquais de ne pas y aller, j'y réfléchissais de nouveau. Le match avait été si exaltant ! Pouvoir jouer au hockey pour de bon, ce serait vraiment fantastique.

Will a baissé sa couverture.

— Si tu me donnes encore un coup de pied, J. J., je t'écrase la tête.

J. J. pleurnichait – comme d'habitude.

— Félicitations, idiot, a fait Rose. Si tu es si fort, pourquoi tu ne vas pas virer un occupant des suites de luxe ?

Will a remonté sa couverture, mais non sans avoir donné un coup de botte à J. J. Celui-ci a gémi et s'est déplacé. Je n'en pouvais plus. Il fallait que je sorte.

— Je vais voir si Lewis est rentré, ai-je dit en me levant.

— Il est pas là, a fait Rose. Je viens de passer devant sa chambre.

Mes jambes étaient raides et ça me faisait mal de me tenir debout. Mes pieds me picotaient, aussi.

— Peu importe. Je ne vais pas rester ici à geler toute la nuit.

— C'est quoi ton plan, la Souris ? s'est moquée Rose. Tu vas à l'hôtel ?

— Je vais jouer au hockey.

Je n'avais pas l'intention de dire ça. C'est sorti tout seul. Rose s'est redressée.

— Tu trouves ça malin de sortir ? Je sais que tu aimes ça, le hockey, mais c'est complètement idiot.

— On m'a demandé de jouer, alors j'y vais.

La tête de Will a jailli de ses couvertures.

— Tu es un petit chanceux.

— Avec qui est-ce que tu joues ? a demandé Rose.

— Des types que j'ai rencontrés à la patinoire.

— Tu as joué au hockey avec des Réglos ? a fait Will.

— Mauvais, a dit Rose. Ils se retourneront contre toi, crois-moi. J'ai vu ça des centaines de fois. Ils ne se tiennent pas avec des garçons des rues – ni avec ceux qui ne leur ressemblent pas.

Depuis quand Rose se préoccupait-elle de moi ?

— Ils ne sont pas comme ça. Ils m'ont invité à leur entraînement de ce soir, c'est tout.

— Tu es plus stupide que je ne le pensais, a conclu Rose avant de se recoucher en me tournant le dos.

Je suis parti. C'est elle qui était stupide. Ils l'étaient tous. Elle avait raison à propos de Lewis, pourtant. Il n'était pas là, et son canapé avait l'air terriblement confortable. Mais je ne pouvais pas m'en servir sans son autorisation, il m'aurait tué. Rigger était installé sur son fauteuil, et il était la dernière personne à qui j'avais envie de parler. J'ai baissé la tête et je suis passé sans m'arrêter.

— Il fait un million de degrés sous zéro dehors, la Souris. Où est-ce que tu vas ?

— Je vais jouer au hockey.

— Quoi ? T'es dingue ?

— Pas à l'extérieur, je suis pas fou.

Il m'a décoché un grand sourire et a relevé ses sourcils.

— Oublie pas tes amis Rats de cave quand tu seras dans la LNH.

Je lui ai rendu son sourire.

— Je te réserverai une place au premier rang.

— Et pourquoi pas une loge privée ? a-t-il lancé alors que je commençais à grimper.

Tandis que j'attendais à la patinoire, j'ai failli à plusieurs reprises me mettre à geindre comme J. J. Mes pieds étaient gelés et je ne pouvais plus sentir mes mains. Il avait fallu que je récupère mon équipement dans ma cachette avant d'aller à la patinoire, et j'avais été plusieurs fois à deux doigts de m'en retourner. Mais mourir de froid valait mieux que de rester roulé en boule à la Cave à entendre J. J. pleurnicher et Rose et Will dire n'importe quoi.

Une fourgonnette bleue s'est arrêtée devant moi et la portière latérale s'est ouverte.

— Désolé d'être en retard, Jonathon, a dit Rasheed avec un air embarrassé. J'avais promis de nettoyer ma chambre et j'avais oublié. Ma mère m'a obligé à finir.

— Je viens juste d'arriver.

— Bon, embarque. On gèle.

— Ouvre-lui à l'arrière, a ordonné le chauffeur.

— Désolé, papa.

Rasheed a sauté dehors et, d'autorité, il a pris mon bâton et mon sac pour les lancer à l'arrière. Il m'a regardé d'un air bizarre et a dit :

— Allons-y.

La fourgonnette était incroyablement chaude. On aurait dit un four. Tout mon corps se relâchait, et je jure que j'aurais pu m'allonger sur le plancher et m'endormir aussitôt. Mais son père m'a réveillé avec une question, ce dont j'aurais dû me douter vu que les adultes bombardent constamment les enfants de questions.

— Eh bien, à quelle école vas-tu ?

Tous les Rats de cave avaient une réponse prête pour cette question, pour le cas où un policier ou une de ces bonnes âmes fouineuses nous la poserait.

— Je vais à Glenwood, monsieur.

Il a ri.

— Ce n'est pas loin de la gare, non ? Et tu peux m'appeler Rick, même si j'apprécie les bonnes manières.

Tout à coup, j'ai senti une odeur de nourriture. Rasheed mangeait un sandwich. Au thon. Je n'avais pas mangé de la journée. Je commençais à être à court d'argent.

— D'où est-ce que tu as déménagé ? a demandé Rick.

L'odeur me faisait tourner la tête, comme lorsqu'on est malade et qu'on se sent barbouillé.

— Jonathon, je te demandais d'où tu avais déménagé ?

Heureusement, je me suis mis à tousser, ce qui m'a donné un peu de temps pour réfléchir.

— On vivait à Brentwood, monsieur... euh, je veux dire, Rick.

— Pas si loin que ça, alors. On y a fait du camping il y a deux ans. Tu t'en souviens, Rasheed ?

— C'était cet endroit avec la plage de cailloux ?

— Je crois qu'il faudra que tu me pardonnes, a grogné Rick.

— Jamais, a répliqué Rasheed en riant. C'est trop drôle de t'agacer avec ça.

Il m'a tiré par la manche.

— Les pires vacances de ma vie. La plage était pleine de roches et l'eau était glaciale. On n'a pas pu se baigner de toute la semaine.

— Est-ce que tu manges, Rasheed ? a demandé Rick.

Il n'y avait aucun reproche dans sa voix.

— Tu sais que tu dois manger avant chaque entraînement.

Rasheed a remis son sandwich dans le sac.

— Maman sait que je déteste le thon. Je n'ai pas faim, de toute façon. Et puis on pourra prendre des burgers chez Johnny, après.

Il a de nouveau tiré ma manche.

— Tu y es déjà allé ?

J'ai secoué la tête.

— Les meilleurs burgers du monde. On va emmener Jonathon chez Johnny, papa ?

— On ira, mais pas ce soir, a fait celui-ci en riant. Mange au moins ta banane.

— Tu aimes le thon ? m'a demandé Rasheed.

— Sûr.

J'ai dû le dire un peu trop fort. Un morceau de pain rassis aurait fait mon affaire, alors un sandwich !

Je me suis jeté dessus et j'ai sans doute eu l'air d'un gros porc. Le sandwich a disparu en un rien de temps. Rick et Rasheed discutaient à propos de l'équipe tandis que je mangeais. Les Rangers étaient restés ensemble pendant trois ans, mais, après la dernière saison, quatre de leurs meilleurs joueurs – dont Matthew – les avaient quittés pour les Red Wings.

J'ai senti quelque chose dans mes côtes. Rasheed a mis son doigt sur ses lèvres et il a déposé sa banane sur mes genoux. Je l'ai expédiée en vitesse et je lui ai donné la peau, qu'il a tenue en l'air de façon à ce que son père puisse la voir dans le rétroviseur.

— J'ai fini ma banane, papa, a-t-il dit. Qu'est-ce que je fais de ça ?

— Tu la jetteras à l'aréna. On y sera dans dix minutes.

— Tu peux mettre un peu de musique ?

Je me suis adossé à la banquette. Les sensations revenaient au bout de mes doigts. J'aurais aimé qu'il en soit de même pour mes pieds. Mais ils n'étaient pas près de se réchauffer, c'est sûr. Cependant, je ne me plaignais pas. J'avais le ventre plein et je n'avais plus froid. J'ai fermé les yeux en me laissant bercer par la musique.

Mon cœur s'est mis à battre. Où étais-je ?

— Jonathon. Jonathon. La journée a été rude ?

La voix semblait venir de très loin.

— C'est l'heure de l'entraînement.

Quelqu'un était en train de me secouer. Rasheed. J'ai émergé de ma brume et je me suis rappelé où j'étais, puis je l'ai suivi en trébuchant hors de la fourgonnette. Rick m'a tendu mon sac et mon bâton. J'étais tellement gêné que j'ai pris mes affaires sans le regarder. M'endormir dans sa voiture. Quelle honte! Rasheed devait me prendre pour un vrai *loser*.

Je les ai suivis jusqu'à l'aréna, ma nervosité augmentant pratiquement à chaque pas. Je n'arrivais pas à y croire. C'était fou: j'allais à un entraînement de hockey comme si j'étais un enfant ordinaire, comme si j'avais une maison, des parents, une école, des amis.

Mais, pour être honnête, ce que je voulais le plus au monde, c'était entrer dans cette équipe. Je ne pouvais plus imaginer ma vie en dehors d'elle, revenir à la Cave et avouer à Will et à Rose que je ne l'avais pas fait pour qu'ils puissent remuer le couteau dans la plaie. Je me suis armé de courage pour entrer dans le vestiaire.

— Fantastique! Tu es venu, m'a dit Lou. J'ai de l'équipement à te faire essayer.

13

J'étais complètement lessivé. Autant Lou m'avait semblé décontracté la première fois que je l'avais rencontré, autant il s'était transformé en un véritable fou furieux, nous faisant patiner en cercle, en avant, en arrière, de côté, sauter... Mes jambes étaient devenues aussi molles que des spaghettis lorsqu'il a enfin sifflé et nous a rappelés au banc. J'étais un peu énervé de voir que j'étais le seul à être hors d'haleine.

— Je vais vous faire travailler un peu le jeu de puissance, a dit Lou. Rasheed, Jacob et Derrick à l'avant, Collin et Peter en défense.

Il a regardé autour de lui et ses yeux se sont fixés sur moi.

— Les joueurs en infériorité numérique, Michael et... Jonny à l'avant, Simon et Carlos en défense. Andrew peut commencer dans le filet pour l'équipe en avantage, Nicholas en face. Les autres, sur le banc pour l'instant.

Les joueurs se sont dispersés sur la glace.

— Nous avons de la difficulté à sortir de notre zone, a dit Lou. Il faut se déployer sur la glace. L'équipe en avantage a la rondelle.

Rasheed et ses coéquipiers ont rejoint le bout de la patinoire. Lou m'a tiré par la manche et m'a désigné un tableau avec un marqueur.

— Voici notre système de désavantage numérique. Un joueur en pression qui force le jeu vers la droite ou la gauche. Un autre reste à la ligne bleue pour intercepter les passes ou forcer le jeu vers l'extérieur. Si la rondelle passe derrière toi, tu reviens en vitesse pour former la boîte. Compris ?

J'ai hoché la tête mais, dans le fond, je n'avais pas bien saisi. Je savais que la boîte désignait la formation en carré des quatre joueurs en infériorité numérique devant leur gardien. Ron était un sale type, mais il connaissait bien le hockey et il m'avait appris pas mal de choses en regardant les matchs à la télé. Je me rappelais aussi quelques rudiments que m'avaient enseignés mes entraîneurs. Mais nous n'avions jamais eu de système. Nous nous contentions de filer après la rondelle.

Michael s'est approché de moi.

— J'y vais. Tu prends le coin gauche dans notre zone.

Il n'a pas attendu ma réponse et est reparti aussitôt.

Lou a lancé la rondelle à droite vers la bande et Michael s'est élancé. J'ai suivi, sans trop savoir où je devais aller. Lou m'avait dit d'anticiper les passes. Peter a reçu la rondelle derrière le filet. Jacob n'avait pas l'air très enthousiaste et je savais que Derrick aimait la conserver. J'ai parié sur lui et je me suis mis en travers. Alors cet imbécile de Peter lui a fait une passe et la rondelle est arrivée juste sous mon bâton. C'était tellement facile que j'en riais. Andrew est sorti pour me contrer, mais je me suis dit que le côté rapproché devait être ouvert : la rondelle a heurté le poteau et est entrée dans le filet.

Lou a sifflé. Il n'avait pas l'air très content.

— C'était bien... Michael, Jonny.

Il a désigné Peter.

— Mais peut-être moins sur la sortie de zone. On recommence.

Andrew a renvoyé le disque à Peter et j'ai reculé jusqu'à la ligne bleue. Cette fois, Derrick tournait derrière le filet et il a récupéré la rondelle. Michael s'est dirigé vers lui en coupant par la gauche. Jacob était un tel « cône » que je ne me suis pas inquiété de lui. Derrick allait sûrement lancer à Peter et, comme prévu, lorsque Michael est arrivé tout près, c'est ce qu'il a fait. Si à présent Peter passait à Jacob, j'étais fait, mais il a essayé de feinter et je lui ai pris la rondelle puis, déjouant le gardien du revers, je l'ai renvoyée dans le coin gauche.

Lou a sifflé – il aimait siffler –, mais il avait vraiment l'air de mauvaise humeur.

— Quel est le camp qui a l'avantage ?

Peter a frappé la glace avec son bâton, ce qui m'a fait sourire. Je l'avais déjà écrasé deux fois aujourd'hui.

Lou a fait claquer ses doigts.

— J'ai une idée, a-t-il fait d'un ton aigre. Jonny, tu passes en défense, cette fois. Peter, tu prends une pause.

Peter a regardé Lou, l'air mécontent.

— J'y arriverai la prochaine fois, a-t-il dit. La rondelle a heurté son patin accidentellement. J'ai compris, maintenant.

— Je veux juste essayer une fois, a répliqué Lou. N'en fais pas une affaire d'État. Assieds-toi sur le banc, je te fais revenir ensuite.

Peter a émis une espèce de sifflement qui m'a rappelé J. J. Lou m'a donné la rondelle.

— Pars de derrière le filet, garde-la jusqu'à ce que tu ressentes la pression et passe sur une ouverture de côté. Si tu te trouves dans la zone offensive, compte sur Collin pour un lancer frappé.

Il s'est retourné vers le banc.

— Daniel, tu prends la place de Jonny.

J'ai pris la rondelle derrière le filet, comme il me l'avait indiqué, et je me suis élancé du côté droit. Michael a foncé sur moi, mais je m'y attendais. J'ai coupé vers l'intérieur et je l'ai dépassé. Daniel surveillait Derrick, j'ai donc continué. Rasheed a viré large vers la droite. Le défenseur, Simon, avait une main sur son bâton et l'autre en l'air, comme s'il avait voulu poser une question. J'ai feinté vers l'intérieur puis je suis revenu vers l'extérieur. J'avais répété ça des centaines de fois à la patinoire et c'était devenu une seconde nature. Simon s'est fait déjouer et je me suis retrouvé seul.

Nicholas est sorti du filet. C'était de la folie. Ça me facilitait bien les choses. J'ai frappé fort du revers et je l'ai mise dedans avant qu'il ait pu bloquer sa jambière contre le poteau.

Lou m'a fait signe. Il n'avait toujours pas l'air content.

— Tu as forcé tes ailiers à se tenir à la ligne bleue et je pense que Derrick était hors jeu sur ce but. Passe dès que tu as une ouverture ou rejoins le centre et dégage vers un coin.

Marquer des buts, ce n'était donc pas le but du jeu?

— Alors je ne dois pas tirer au but?

— Pas toujours. Tu dois travailler ton jeu de passe.

Il m'a donné une claque sur l'épaule.

— Mais comme disent les gars, c'était du bonbon.

Je me suis senti mieux.

— On essaie encore un coup! a crié Lou.

J'étais heureux. C'était meilleur que de manger un hot-dog à la gare, ou une dizaine de *buns* chinois, et même que de me reposer sur le canapé de Lewis. C'était du vrai hockey, sur une patinoire couverte. J'aurais pu jouer sans jamais m'arrêter.

À la fin de l'entraînement, deux autres adultes, les assistants de l'entraîneur, ont commencé à ramasser les rondelles et les joueurs ont quitté la glace. J'ai cherché des yeux des disques oubliés pour refaire quelques lancers. Je ne voulais plus m'arrêter. Nous avons travaillé encore un moment notre jeu de puissance, et je m'en suis bien sorti. Rasheed et moi avons marqué quelques buts et Collin, sur mes passes, en avait tiré deux depuis la pointe.

— Hé, Jonathon! T'en as marqué combien?

Collin et Rasheed s'approchaient.

— Sais pas. Deux ou trois, peut-être.

— Deux ou trois! a fait Collin en reniflant. Deux ou trois cents, oui!

Il a passé son bras autour de mon cou.

— Je n'arrive pas à comprendre comment un gars aussi petit peut garder le contrôle de la rondelle aussi longtemps sans se faire arrêter. Et ton tir! Quel canon! Plus puissant que le mien – et je suis pas mal plus grand.

Rasheed a pressé mon bras.

— Petit mais fort. Tâte-moi un peu ces biceps.

Cela venait sans doute de mes montées et descentes de l'échelle de la Cave.

— Est-ce que je peux te parler une seconde? m'a crié Lou.

Je l'ai rejoint près de la bande. Les deux autres adultes se trouvaient là aussi.

— Voici Ian et Malcolm, a dit Lou. Ce sont mes assistants. On a tous aimé ce qu'on a vu.

— Il faudra peut-être travailler les positions et les passes, a ajouté Malcolm.

— Mais on a aimé ce tir, a conclu Ian.

— J'avoue que j'ai été un peu ennuyé par ta taille, a repris Lou. Mais tu patines comme le vent et tu gardes toujours la tête haute.

Il s'est gratté le menton.

— Alors, tu crois que tu es prêt ?

— Prêt à quoi ?

— À rejoindre les Rangers, a répondu Lou en riant. On aimerait t'avoir pour le reste de la saison.

— On aura juste à s'arranger pour les frais, a dit Malcolm.

Je le haïssais, ce Malcolm. Bien sûr qu'ils me feraient payer pour jouer. J'étais tellement épais, parfois.

— Tes parents devraient peut-être nous appeler, a-t-il poursuivi.

Certainement pas !

— Est-ce que c'est un problème ? a demandé Lou d'une voix calme.

Pire. Impossible...

— Mon oncle vient juste de m'acheter les patins, le bâton et les gants. Je ne crois pas que je puisse lui demander davantage ; et ma mère n'a pas... elle n'aura pas les moyens de... elle m'a dit que...

Les entraîneurs se sont contentés de me regarder.

— Merci pour l'équipement et pour le reste, ai-je dit. Je vais au vestiaire.

— Attends, mon garçon, a fait Lou. Je répugne à penser qu'un gars qui a du talent ne peut pas jouer à cause d'une histoire d'argent. Le hockey coûte assez cher comme ça.

Il a fait un geste de la main.

— Oublie les frais. Nous avons assez d'argent cette année. Bienvenue chez les Rangers ! a-t-il ajouté en me tendant la main.

Je n'en revenais pas. Je lui ai serré la main, puis celle d'Ian et de Malcolm, même si j'ai remarqué le drôle de regard que celui-ci a lancé à Lou, signifiant qu'il n'était pas trop d'accord sur la question financière. Mais c'était Lou, le patron, alors je ne m'en suis pas occupé. Les Rangers! C'était plus que j'aurais pu espérer.

— Viens avec moi, a dit Lou, on va annoncer ça à l'équipe.

Nous nous sommes dirigés vers le vestiaire. J'ai entendu le rire de Rasheed lorsque Lou a ouvert la porte.

— Je ne rate jamais mon coup, disait Rasheed.

La bouche de Collin était grande ouverte et Rasheed s'apprêtait à y lancer une boulette de *tape*.

— Ho! On se calme, a fait Lou. Et toi, Rasheed, laisse tomber ta boulette.

Rasheed a rigolé et l'a lancée dans la poubelle.

— Hop! Panier! a-t-il fait en levant les bras au-dessus de sa tête.

— Jonny a accepté de se joindre à la famille des Rangers à la place de Brandon, a annoncé Lou.

Le silence s'est fait tout à coup, ce qui m'a gêné. Puis Rasheed a applaudi et a crié : «Génial!» Collin a simplement dit : «C'est bien, Lou.» Les autres n'ont rien dit. Peter et Jacob étaient manifestement furieux. Derrick n'avait pas l'air très chaud lui non plus. Difficile de dire pour les autres.

Lou m'a tapé sur l'épaule.

— J'aurai besoin que tu signes quelques papiers, et que tu fasses signer par tes parents le formulaire d'assurance. Change-toi, je vais les chercher dans la voiture.

J'étais trop abasourdi pour répondre. Tout était arrivé si vite. Je faisais réellement partie d'une équipe de hockey, comme un garçon ordinaire. J'étais un Réglo !

Je me suis assis à côté de Rasheed, et Collin s'est approché.

— C'est vraiment génial, a dit Collin. Avec toi, on va peut-être enfin gagner un match.

Rasheed et Collin m'ont donné un *high-five*. J'ai retiré mon casque et j'ai commencé à délacer mes patins, tout en essayant de garder mon calme. J'avais envie de sauter en l'air et de hurler comme un fou, tellement j'étais excité.

Si ces *losers* de Rats de cave avaient pu me voir !

14

J'ai toussé jusqu'à ce que mes yeux soient sur le point de sortir de leurs orbites. Cette idiote de Rose avait dû me refiler sa maladie. Ma toux ressemblait à la sienne. Et J. J. l'avait aussi. La nuit précédente, Will nous avait fait sa crise parce que nous ne pouvions pas nous arrêter de tousser.

— Cet endroit est vraiment pourri, a dit J. J. en entourant sa poitrine de ses bras et en se frottant les côtes. Tu as ramassé combien, aujourd'hui?

J'ai fouillé ma poche. J. J. a reniflé.

— Un dollar! Super. Je n'ai fait que cinquante cents. Qu'est-ce qu'on peut acheter avec ça?

Je savais qu'il mentait, parce que je mentais aussi. J'avais caché un autre dollar dans ma chaussette.

— C'est pas de notre faute. Il fait trop froid pour mendier. Les Réglos ne sortent même pas.

— Essayons du côté des studios de télé, a-t-il suggéré.

— Will nous a dit de l'attendre ici.

— Will Schmill, a fait J. J. avec dédain.

Il n'était dur qu'avec les absents.

— C'est stupide. Allez, viens.

Moi, je voulais rester où j'étais parce que ce soir-là j'avais un entraînement de hockey et je devais récupérer mon équipement. De plus, Will et Rose quêtaient dans la station de métro et nous avions prévu de mettre notre argent en commun pour acheter à manger, ce qui m'arrangeait bien parce que j'étais presque à sec et que je n'avais pas mangé ce matin.

— Attendons encore une minute, ai-je proposé.

— Ne sois pas stupide. Je vais y aller. C'est trop poche.

— Qu'est-ce qu'il y a de mieux du côté de la télé ? C'est encore plus nul.

— C'est toi qui es nul. Tu as peur d'y aller ou quoi ?

— C'est idiot. J'y suis déjà allé des tas de fois.

— Justement, a dit J. J. en haussant les épaules. C'est pas une fois de plus qui va te tuer.

Il a tourné les talons et a descendu la rue.

Il n'était pas question que je passe pour un pissou aux yeux de J. J. Il raconterait à tout le monde que j'avais eu peur. Mais je dois admettre que ça ne me tentait pas beaucoup. De nombreux sans-abri traînaient là-bas. J'avais entendu parler de bagarres et pire encore. Rien de bon pour un garçon qu'on surnomme la Souris.

Et, j'avais vu juste, une bande de sans-abri se trouvait là. Les studios avaient d'immenses baies vitrées donnant sur le trottoir. On y voyait parfois des vedettes de rock enregistrer leur show – du moins Lewis me l'avait-il assuré.

— C'est pas pour t'ennuyer, ai-je essayé une dernière fois, mais il y a trop de concurrence.

— Je veux voir les studios, a-t-il insisté.

— On ne fera pas un sou. Il y a comme une dizaine de sans-abri et ils sont tous…

— Oublie ça. Je vais voir.

J'avais vraiment envie de l'assommer. Il était têtu comme une mule, mais j'avoue qu'il ne semblait pas avoir peur. J. J. s'est glissé entre quelques types que je n'ai pas reconnus et il a continué son chemin vers la façade, jusqu'à pratiquement appuyer son nez sur la vitre. J'aurais pu laisser tomber et m'en retourner. J'avais davantage besoin d'argent que de voir une andouille de vedette de rock. Il me fallait payer le loyer et je voulais un *bun* chinois et, si je pouvais me l'offrir, j'étais tout à fait d'humeur pour un Coke.

Une seconde plus tard, je me retrouvais étalé sur le trottoir, aux pieds d'un gros tas de connerie nommé W5.

— Tiens, tiens! Si c'est pas le petit chien de Lewis.

Pourquoi W5 en avait-il après moi? La veille, je lui avais laissé un paquet et tout s'était bien passé. Je me suis assis.

— C'est quoi le problème? ai-je dit en me frottant le dos.

Il s'est accroupi et m'a saisi par le collet.

— Dis à ce trou-de-cul de Lewis qu'il me doit cinquante dollars et qu'il ferait mieux de se presser, sinon c'est un homme mort. Je rigole pas.

Les deux crétins, à côté de lui, ont trouvé ça drôle. Je me suis relevé tant bien que mal et je suis allé chercher J. J. Je l'ai tiré par la manche.

— Il faut y aller. Rien à faire ici. Will est en train de nous attendre.

Il n'a pas décollé son visage de clown de la vitre.

— Fiche-moi la paix. Il y a un show.

— On y va, ai-je sifflé en le tirant par le bras.

J'étais tellement en colère contre lui que j'avais l'impression que ma tête allait exploser.

— Lâche-moi, abruti… Qu'est-ce que tu fais ?

Cet idiot faisait tout un cirque et les gens commençaient à nous regarder. Mauvais…

— Je crois qu'il a pas envie de danser avec toi, a dit W5 d'une voix forte.

Il y a eu un grand éclat de rire, bien sûr. J'ai lâché J. J.

— Je me tire, ai-je murmuré.

Une main énorme s'est posée sur mon épaule et un pouce s'est enfoncé sous ma clavicule. C'était tellement douloureux que j'en étais paralysé de souffrance. C'était W5.

— Pourquoi es-tu si pressé ? a-t-il dit en plantant ses yeux dans les miens. Je parie que tu es plein de *cash*.

J'ai cru que le cœur allait me jaillir de la poitrine.

— Voyons ce qu'il y a dans tes poches, a-t-il maugréé en me frappant sauvagement à la figure.

— Je… je… je n'ai rien, ai-je réussi à articuler.

— Prouve-le.

Il m'a laissé aller, mais à présent ses copains m'entouraient : je n'avais plus d'issue. Alors, du coin de l'œil, j'ai aperçu ce crétin de J. J. traverser la rue.

— Commence par la poche droite, a ordonné Scrunchy Face.

Ses cheveux étaient encore plus gras que d'habitude. J'ai retourné ma poche.

— À l'autre, a-t-il dit.

Cette fois, mon dollar est tombé et Scrunchy Face l'a ramassé.

— Je croyais que tu n'avais rien, a-t-il grondé.

Son haleine était répugnante, ça sentait le poulet frit.

— Je parie qu'il y en a encore. On va le travailler au corps et trouver ça.

Il m'a attrapé par le col.

— Je n'ai rien d'autre, je le jure. Faut que j'y aille, j'ai un rendez-vous. Faut que… faut que…

— Faut que, faut que, a repris ironiquement W5 avec une voix aiguë.

Scrunchy Face m'a jeté sur le sol.

— T'as l'air d'avoir peur. C'est parce que tu sais que tu vas te faire tabasser ?

Lewis m'avait appris quoi faire lors d'un combat de rue. Frapper le premier, et là où ça fait le plus mal. Ensuite, courir le plus vite possible. Je me suis relevé.

— Est-ce que je dois commencer par ta gueule, ou te décoincer avec quelques coups au corps ?

— Commence avec ça ! ai-je hurlé en le frappant directement dans les testicules d'un coup violent.

Je n'ai pas attendu les questions suivantes. J'ai détalé dans la rue sans m'arrêter, malgré les crissements de pneus des voitures.

— Tu es mort, le rat. Mort !

Je n'ai pas osé me retourner. J. J. était un tel traître ! Ils allaient me tuer, c'est sûr, surtout s'ils découvraient le dollar dans ma chaussette. Où pouvais-je aller ? Ils ne tarderaient pas à me rattraper. Les grands sont rapides. J'ai alors pensé au théâtre. Peut-être que Will et Rose y seraient encore, même s'ils ne me seraient pas d'un grand secours contre W5.

J'ai tourné au coin de la rue et lancé un coup d'œil en arrière. W5 me rattrapait. J'ai poursuivi ma course, essayant d'éviter les Réglos au passage. Personne ne s'intéressait à moi. Qui voudrait aider un garçon des rues ? Mes jambes me faisaient mal, et mon épaule aussi, là où W5 l'avait agrippée. Et ce serait pire quand il mettrait la main sur moi.

— T'as aucune chance, trou-de-cul ! Arrête... je vais te régler ton compte !

Je suis arrivé à un feu rouge, mais je ne me suis pas arrêté pour autant. Un énorme camion descendait la rue à toute allure et W5 a dû attendre qu'il soit passé, ce qui m'a donné le temps de tourner au coin suivant et de prendre de l'avance. Je me suis engouffré dans la ruelle à l'arrière du théâtre. Devant moi se trouvait le conteneur à ordures. Une idée folle m'a traversé l'esprit. Je me suis retourné. Mes poursuivants n'avaient pas encore atteint l'allée. Sans réfléchir, j'ai sauté dans la poubelle et je m'y suis enfoncé, tirant quelques sacs par-dessus ma tête, et priant pour que personne ne m'ait vu. L'odeur était atroce. Vomi et œufs pourris, genre. Mais ce n'était rien, comparé à la peur d'être découvert.

Je me suis efforcé de ne pas faire de bruit – pas le moindre mouvement, pas même respirer – et j'ai retenu mon souffle le plus longtemps possible avant d'expirer le plus doucement que j'ai pu. Tout ça malgré ma toux. J'avais l'impression que mes poumons allaient éclater.

J'ai entendu quelqu'un courir, mais sans être certain que ce soit W5. Au moins, les sacs à ordures étaient mous. Ils provenaient peut-être d'un restaurant, je savais qu'il y en avait un à l'intérieur du théâtre. J'ai compté trois fois jusqu'à cent puis, lentement, j'ai soulevé le couvercle du conteneur.

J'ai pris une profonde inspiration. La voie était libre. Je me suis dégagé des sacs à ordures et j'ai dégringolé à terre. «Fantastique», me suis-je dit : assis dans les ordures, le pire des sans-abri à mes trousses, J. J. disparu, je puais la merde et je jouais mon premier match ce soir avec les Rangers. Peut-être était-ce parce que personne ne pouvait me voir, une larme a perlé au coin de mon œil, et ensuite ça a été un déluge. Pourquoi ne pouvais-je pas jouer au hockey tout le temps? Sur la glace, j'oubliais la Cave et les sans-abri, j'oubliais la faim perpétuelle et ces imbéciles qui m'emmerdaient, j'oubliais le fait que ma mère me manquait tellement que j'en avais des nœuds à l'estomac.

Heureusement, les larmes se sont taries. Ce qui m'ennuyait le plus, c'était d'avoir perdu ce dollar. Je ne pourrais pas me payer un Coke à moins de mendier encore. Et il y avait peu de chances que j'en tire quelque chose, vu l'odeur que je dégageais. En plus, j'avais les fesses trempées… de je ne sais quoi.

Crétin de J. J.

15

— Hé, la Souris ! Où est-ce que tu étais ? J'en ai eu assez de t'attendre. J. J. m'a dit que tu le suivais.

Will me dévisageait, les mains sur les hanches. Rose me regardait, le nez plissé, comme si elle cherchait à comprendre quelque chose. J. J. s'est éloigné sur le côté.

— J'ai eu des problèmes avec W5, ai-je dit calmement.

Will, tout à coup, n'avait plus l'air de vouloir me frapper.

— Il y a du sang sur ton manteau, a dit Rose.

— Tu t'es battu avec W5 ? a dit Will, les yeux écarquillés.

— Ce *loser* m'a dévalisé. Mais j'en ai frappé un dans les couilles et je me suis sauvé.

— Ouais, c'est ça, a fait Will en faisant un geste de la main.

— C'est vrai, a dit J. J., W5 l'a cogné au visage et ensuite il y avait ce grand type maigre qui a voulu le battre, mais Jonathon a été plus rapide. J'ai tout vu.

Will a ri pour de bon.

— Parfois tu me surprends, la Souris. J'aurais aimé voir ça. Rien que d'y penser, ça vaut un *bun*. Suis-nous, je t'en offre un.

— OK, merci. C'était un bon coup, le type est resté sur le tapis.

— Dommage que ça n'ait pas été W5, a grommelé Will. Réserve-lui le même sort et je te paie un hot-dog.

Il a indiqué la direction et il s'est mis en marche.

— Tu as du sang aussi sur le visage, a dit Rose en passant près de moi.

J'ai léché mes doigts et j'ai essayé de me nettoyer la figure. Le goût était salé, un goût de viande crue, et ça m'a dégoûté. Tout au long du chemin vers chez Winston, J. J. s'est tenu loin de moi. Je me suis dit que la meilleure chose à faire était de me taire et de le laisser niaiser. Je savais bien qu'il n'aurait rien pu faire pour m'aider, et il m'avait soutenu auprès de Will et Rose. Cependant, je n'avais pas l'intention d'être gentil. Il ne le méritait pas.

Le soleil déclinait. Rigger pourrait me donner l'heure. J'espérais pouvoir me reposer avant le match. Je devais retrouver Rasheed chez lui vers six heures trente et, comme j'étais à sec, je ne pourrais pas prendre le métro. J'avais tellement faim que j'aurais pu avaler dix *buns* chinois.

Nous avons eu nos *buns* et nous sommes repartis vers la Cave. Creeper était de garde à la porte. Il m'a fait un signe de tête.

— Qu'est-ce qui t'est arrivé? T'es passé sous un camion?

J. J. a répondu pour moi.

— C'est W5 qui lui a tapé dessus. Il lui a piqué son argent aussi. Mais la Souris a cogné un des gars de W5 dans les couilles et il s'est sauvé.

Creeper a émis un léger sifflement.

— La Souris justicière. Je ne te croyais pas bagarreur.

Il ne disait pas ça de son ton vicieux habituel. Peut-être que cette bagarre se trouverait être une bonne chose et me donnerait du crédit chez les Rats de cave. Tout le monde paraissait impressionné, même Will.

— Ce *loser* s'est écroulé comme un sac de patates, me suis-je vanté. Tu aurais dû voir ça.

— C'est une bande de durs, a fait Creeper avec sérieux. T'en as parlé à Lewis ?

C'est alors seulement que j'y ai pensé. Comment pourrais-je faire d'autres livraisons à W5 de la part de Lewis, maintenant ? Ça se présentait mal.

J'ai haussé les épaules comme si je m'en fichais.

— Ils ne me font pas peur. Je fais ce que je veux.

— Tu viens ? a lancé J. J., un pied sur l'échelle.

— Oui, oui, lâche-moi, ai-je fait d'un ton cassant. Pars devant.

J. J. a commencé sa descente. Creeper regardait par la fenêtre.

— À plus tard, Creeper, ai-je lancé.

Il n'a ni tourné la tête ni répondu. J'ai rejoint J. J. La descente a été douloureuse à cause de mon épaule meurtrie. Je m'étais aussi tordu le poignet en sautant dans le conteneur. J'ai enduré la douleur et j'ai continué, sautant même au sol avant les derniers barreaux, comme le faisaient tous les vrais Rats de cave. J'espérais qu'il ne serait que cinq heures, ce qui me laisserait le temps de me reposer et de me laver un peu, sinon les gars me prendraient pour un fou.

J. J., Will et Rose m'attendaient.

— Tu peux demander ses cartes à Lewis ? a demandé J. J. J'ai envie de jouer au 8 américain.

— Je vais les lui demander, mais je ne pourrai pas jouer.

— Pourquoi pas ?

Après ce qui s'était passé, je ne pensais pas être tenu de lui répondre. Je me suis dirigé vers Rigger. Mais il était moins facile d'ignorer Will. Celui-ci m'a attrapé par le bras.

— Notre Souris est tout excitée après son aventure avec W5. Mais ne te mets pas en tête de me manquer de respect.

J'ai pensé à lui donner un bon coup dans les parties. Mais où me serais-je sauvé ?

— Je dois sortir plus tard, je n'aurai pas le temps.

— On peut jouer jusqu'à ce que tu partes, a dit J. J.

Subitement, ils étaient devenus mes meilleurs amis. Pour clore le débat, j'ai décidé d'être franc avec eux.

— J'ai un match de hockey ce soir, je ne peux pas être en retard.

Will a éclaté de rire. Pas exactement la réaction que j'attendais. Rose a bâillé.

— Tu fais vraiment partie de cette équipe ? a-t-elle demandé.

— On joue même dans le AA, pour ton information, ai-je répondu en tournant les talons.

— Hé, Rigger, est-ce que tu as l'heure ?

Rigger s'est étiré dans son fauteuil et a lentement relevé le bras.

— Cinq heures et demie, ma petite Souris.

J'ai émis un grognement. Je devais partir dans un quart d'heure.

— Qu'est-ce qui t'est arrivé au visage ? a-t-il demandé.

— Rien, ai-je dit, et je me suis précipité vers les toilettes pour me nettoyer.

Les traces de sang sur mon manteau sont assez bien parties, mais mon chandail était taché. J'en avais un de rechange dans mon sac de couchage. Il était moche, mais ça valait mieux que de sentir la poubelle. J'ai lavé l'autre du mieux que j'ai pu. Avec un peu de chance, il serait sec le lendemain. J'allais devoir changer de pantalon aussi, ce qui m'ennuyait, car j'avais déchiré l'autre la semaine précédente et il était toujours sale. Puis j'ai dû frotter vraiment fort pour enlever toute trace de sang séché sur mon visage. C'était tout ce que je pouvais faire pour garder les yeux ouverts, et l'eau froide m'a fait du bien en me revigorant.

À mi-chemin sur l'échelle, l'épaule a commencé à me brûler. Mon poignet aussi était douloureux. Je me suis arrêté trois fois, alors que d'habitude je monte d'une seule traite.

Creeper m'a jeté un coup d'œil d'en haut.

— Qu'est-ce qui t'arrive, la Souris ?

Répondre m'aurait demandé trop d'énergie. Il me restait dix barreaux à gravir. Un à la fois, me suis-je dit.

— Dépêche-toi, la Souris. Tu accouches?

J'ai escaladé les derniers barreaux.

— Qu'est-ce qui se passe? Tu as oublié quelque chose?

— Nan… J'ai… euh, j'ai un match de hockey.

— Sans blague! Comment ça?

— On m'a demandé de jouer… avec cette équipe… les Rangers.

Creeper a émis un sifflement.

— C'est dingue, la Souris. Un Rat de cave qui joue au hockey. Et quoi encore? Tu vas aller à l'école?

— Pas si dingue.

Je voulais juste partir. Je devais encore récupérer mes affaires dans ma cachette derrière le théâtre.

Mais Creeper, comme les autres, semblait avoir des dizaines de questions à me poser.

— Où est-ce que tu joues?

— Je ne sais pas exactement. J'ai rendez-vous avec d'autres gars de l'équipe près de la patinoire de Cedarview Park.

— Une belle trotte. Et il fait froid ce soir. Tu devrais prendre le métro.

— Ouais, c'est sûr. Mais W5 m'a pris tout mon argent.

Creeper a lentement hoché la tête, puis il a fouillé dans sa poche.

— Prends ça, a-t-il dit.

C'était un ticket de métro. Pourquoi un gars de ce genre faisait-il ça ? Néanmoins, c'était vraiment sympa et, tout à coup, j'ai eu envie de l'appeler par son vrai nom. Malheureusement, je ne connaissais que « Creeper ».

— C'est super. Merci.

— J'ai un peu joué au hockey quand j'étais… quand j'avais ton âge. J'étais pas mauvais. Tu le déduiras de ce que je te dois.

Nos regards se sont croisés.

— Merci encore. Bon, je dois y aller.

— Vas-y, la Souris. Marques-en un pour moi ce soir.

J'ai dressé le pouce et j'ai ouvert la porte.

— Et n'oublie pas : le pont-levis ferme à onze heures ce soir. Ne perds pas de temps.

— Pas de problème, le match commence à sept heures et demie.

J'ai fourré le ticket dans ma poche et je me suis dirigé vers le métro. La neige durcie craquait sous mes pieds tandis que je courais.

16

Lou a frappé à plusieurs reprises son bloc-notes contre sa main et les gars se sont calmés.

— Ça commence à ressembler à quelque chose, a-t-il dit.

Lou avait le visage rouge et épanoui, il semblait heureux. Tous les Rangers l'étaient. Rasheed et Collin se sont donné des tonnes de *high-five* et les parents se pressaient à la porte du vestiaire pour nous applaudir. Ils étaient devenus comme fous lorsque le match s'était terminé.

— Les ennuis sont derrière nous. Vous voyez ce qui se passe quand on travaille fort et qu'on s'engage à fond ? Sans parler des quatre buts en avantage numérique.

Les gars ont poussé une joyeuse exclamation.

— Dont trois par Jonathon ! s'est écrié Rasheed.

Collin s'est approché et m'a félicité. J'ai présenté la main gauche parce que j'avais vraiment mal au poignet droit. Mon épaule aussi était douloureuse. Le maniement du bâton n'avait pas été trop dur, mais les tirs avaient été pénibles.

J'ai remarqué que Peter chuchotait quelque chose à Jacob. Ils ne partageaient pas l'exubérance des autres. Lou m'avait envoyé en supériorité numérique à la place de Peter, et il avait retiré Jacob de la ligne de Rasheed pour le mettre sur la mienne.

— Belle victoire, Rangers! a poursuivi Lou. J'ai déjà hâte au prochain match. Entraînement jeudi, alors savourez votre victoire et voyons si on peut continuer sur la lancée.

Les entraîneurs sont partis et j'ai commencé à me changer. Mais tout d'abord j'ai dû tousser une dizaine de fois.

Collin tapotait mes jambières avec son bâton.

— Alors, Jojo, quatre buts pour ton premier match. Tu es déjà pratiquement notre marqueur vedette.

Tout à coup, je me suis senti tout drôle, comme si j'étais en train de me regarder flotter, sans compter cette impression de vide dans l'estomac.

— Qu'est-ce que tu en dis, Jojo? a fait Collin. Beau match, non?

La salle était silencieuse et je me suis rendu compte que tous les autres me regardaient. Il régnait une épouvantable odeur de chaussettes sales, pire même qu'à la Cave, ce qui n'était pas peu dire.

Rasheed s'est penché vers moi.

— Ça va, Jonathon?

Pourquoi faisait-il si chaud?

— Ça va, ai-je articulé. C'était bien. Beau match.

Il fallait que je sorte : c'était un vrai four là-dedans et j'éprouvais un violent mal au crâne.

— Je t'attends dehors, ai-je dit en me levant pour sortir.

— Es-tu venu avec ton équipement sur le dos ? a fait Peter. Ce n'est pas une ligue locale.

Je portais toujours culotte et jambières. Je détestais cet imbécile. Une sensation de faim m'a submergé. Je ne l'avais pas sentie pendant le match, mais, à présent, j'aurais pu manger ma main. Je me suis vite débarrassé de mon équipement, je l'ai fourré dans mon sac et je suis parti sans un mot.

J'ai dû avoir l'air d'un fou, mais si j'étais resté, je le serais devenu pour de bon. L'air frais de l'aréna m'a remis les idées en place et je me suis dirigé vers le hall d'entrée. Comment allais-je survivre à cette nuit ? Peut-être que Lewis aurait un peu de pain. Je n'avais jamais eu aussi faim de ma vie.

— Quel beau match, Jonathon ! Au troisième but, je crois que tu as déjoué l'équipe entière. Bien joué !

C'était le père de Rasheed. Et je n'en ai pas cru mes yeux lorsqu'il m'a tendu un berlingot de lait au chocolat.

— C'est ce qu'il y a de mieux après un match, a-t-il dit. Ça remplace le sucre perdu pendant l'effort. Évidemment, à partir d'un certain âge…, a-t-il ajouté en se tapant sur le ventre.

Je l'ai avalé d'un trait. Je crois qu'il m'a vraiment sauvé la vie, sans rire. J'allais mourir de faim. Je n'avais jamais rien goûté d'aussi bon. Jamais.

— On dirait que tu aimes ça, le lait au chocolat, a dit Rick d'un ton curieux.

J'avais oublié que les Réglos étaient différents et qu'ils étaient sensibles aux manières et à ces trucs-là.

— Désolé. Je n'ai pas vraiment eu le temps de souper et… j'avais soif.

Il a ri.

— Après une telle performance, tu n'as pas à t'excuser pour quoi que ce soit. Et si tu as faim, allons chez Johnny manger des burgers. Il faut célébrer la première victoire de la saison.

Une femme nous a rejoints.

— Il est un peu tard, chéri. Peut-être une autre fois.

Chez Johnny, c'était cet endroit que Rasheed aimait tant. Mais je n'avais pas d'argent.

— C'est une occasion spéciale, a dit Rick. On fera vite, je te le promets. D'ailleurs, moi aussi j'ai faim.

Elle a poussé un long soupir.

— Bien, d'accord. C'est effectivement un moment important.

Puis elle a murmuré à Rick :

— J'avoue que je ne pensais pas que nous allions gagner un match de toute l'année.

Elle s'est tournée vers une jeune fille qui l'accompagnait.

— Alisha, tu veux aller avec les garçons chez Johnny ?

Elle a roulé des yeux comme si la question était tout simplement stupide.

— Je suppose que c'est oui, a fait sa mère en riant.

Son rire était plaisant. Elle a pressé le bras de Rick.

— Dépêche-toi de les ramener. Il y a de l'école demain.

— Laisse-moi te présenter Jonathon, a dit Rick. Notre nouvelle machine à marquer.

Elle m'a tendu la main et je l'ai serrée. Si elle avait su pour le conteneur à ordures, elle n'aurait pas été si vive.

— Tu as fait un match magnifique, a-t-elle dit. Mon Dieu que tu patines bien! J'imagine à quel point les garçons sont heureux de jouer comme ça.

— Ils sont heureux... de gagner, madame.

Ma mère m'avait appris que les dames aiment les enfants polis. La mère de Rasheed, pourtant, a éclaté de rire.

— Ses manières sont aussi bonnes que ses talents de hockeyeur. Quel charmeur! Tu peux m'appeler Cynthia. Je suis heureuse de te rencontrer, Jonathon. On se voit plus tard, Rick.

Puis est venu le moment difficile, celui que j'appréhendais et qui m'a semblé durer une éternité : rester seul avec Rick et Alisha. Alisha m'a regardé à plusieurs reprises, mais toujours en détournant le regard, comme si elle avait fait quelque chose de mal. Je devais sentir la poubelle, et j'imagine qu'elle devait avoir peur de moi.

Je n'avais jamais été aussi content de voir Rasheed et Collin. Ils avaient mis un temps fou pour se changer, et avec quel bruit! Puis nous nous sommes retrouvés dans la fourgonnette, avec Collin, en route pour chez Johnny. C'était un cauchemar. Je n'avais pas d'argent.

Je ne pouvais pas m'asseoir et les regarder manger ! Le lait au chocolat avait été bon, mais j'avais besoin de quelque chose de solide.

J'étais effondré lorsque nous nous sommes garés dans le stationnement de chez Johnny. L'endroit paraissait sympa. Une vraie place à hamburger, à l'ancienne.

— Tu viens, Jonathon ?

Rasheed a fait glisser la portière.

— Je suppose. Désolé.

— Il n'y a pas de quoi être désolé, a-t-il dit en fermant la porte derrière moi. Après avoir joué comme ça...

Il m'a donné une claque sur l'épaule.

— Cet endroit est le meilleur. Tu prendras le double hamburger, c'est sans comparaison. Les milk-shakes sont corrects, sans plus, mais prends-en un quand même. Et des frites, bien sûr. J'ai envie de rondelles d'oignon, aussi. Et toi ?

J'avais cinquante cents dans ma poche. Toutes mes économies.

— Je ne savais pas qu'on viendrait... à cet endroit, et je n'ai pas... vraiment pas... assez sur moi.

Ma voix devait sonner faux, comme celle d'un enfant sur le point de fondre en larmes. Rasheed m'a regardé d'une drôle de façon.

— Je n'ai pas le moindre sou, ai-je dit d'une seule traite, en luttant pour ne pas m'effondrer en sanglots.

Rasheed a ri et m'a de nouveau tapé dans le dos.

— Mon père nous invite, ne t'inquiète pas pour ça. Et cet endroit porte ton nom, après tout, alors ça devrait être gratuit pour toi.

Il a continué de rire et nous sommes entrés. Alisha nous a tenu la porte. Pour la première fois, j'ai remarqué qu'elle avait les yeux vert clair, ce qui contrastait avec sa peau brune et ses longs cheveux noirs et lisses.

— Merci, ai-je bredouillé en passant.

— Il n'y a pas de quoi.

C'était les premiers mots que je l'entendais prononcer. Elle était menue, plus petite que moi, et j'avais imaginé qu'elle avait une voix aiguë. En fait, sa voix était plus douce et plus basse que celle de Rose. Alisha était aussi plus jolie que Rose.

17

Rasheed a passé son bras sur l'épaule de Collin.

— Je suppose que tu prends deux hamburgers doubles.

— Autant ça me tente, mon ami, autant je crains que ce ne soit un peu cher et, donc, par respect pour ton père, je limiterai mon appétit à un pauvre hamburger ordinaire de régime, sans garniture ni boisson ni frites, et peut-être aurai-je une collation à la maison.

Rick a piqué du menton sur sa poitrine, mais je voyais bien qu'il trouvait ça drôle. Il a regardé les deux garçons.

— Je pense être capable de payer des doubles doubles en une telle occasion. Vous devez faire le plein d'énergie si vous voulez que les Rangers restent sur cette trajectoire gagnante.

— Je ne te décevrai pas, Rick.

Puis, en s'éclaircissant la gorge, Collin a continué :

— Je prendrai les hamburgers avec tout sauf les tomates, et sans doute une grande frite, un milk-shake au chocolat – et peut-être que Rasheed partagera des oignons avec moi.

Rick a roulé les yeux.

— Ah, la jeunesse ! Et Rasheed, comme d'habitude ?

— Oui papa. Et à la banane, mon milk-shake.

— Alisha, qu'est-ce que tu veux ?

Elle a plissé le nez. Ses yeux étaient vraiment clairs et sa peau était si lisse qu'elle semblait briller. Je n'avais jamais vu une peau pareille. Elle ressemblait un peu à Rasheed, mais dans le genre féminin.

— Hot-dog, frites et un milk-shake à la vanille, a-t-elle dit.

Rick m'a regardé en soulevant les sourcils.

— J'imagine que tu voudras aussi les deux doubles hamburgers.

L'odeur était si bonne que je pouvais presque les sentir dans ma bouche, qui s'est mise à saliver. J'ai dû avaler des tonnes de salive, espérant qu'Alisha n'avait rien remarqué.

Heureusement, Rasheed a répondu pour moi :

— Deux doubles, c'est écrit sur son visage.

Je l'aurais embrassé.

— À deux c'est toujours mieux…, s'est mis à chantonner Collin.

— Allez prendre une table, a dit Rick, je passe la commande.

Alors que je leur emboîtais le pas, Rick m'a rappelé.

— J'oubliais, Jonathon. Qu'est-ce que tu veux comme garniture ?

— Ketchup, peut-être, moutarde… et des cornichons, des oignons… et des piments.

Pour je ne sais quelle raison, Rick a trouvé ça drôle, et je m'en suis rendu compte, parce que je sais quand un adulte essaie de se retenir de rire.

— Quelque chose à boire ?

C'était la cerise sur le gâteau.

— Milk-shake au chocolat, je pense.

Rasheed et Collin étaient assis l'un à côté de l'autre, j'ai donc dû prendre place près d'Alisha. J'espérais que je ne sentais pas trop mauvais. Mon genou a touché le sien par mégarde et je l'ai retiré tout de suite pour ne pas la gêner. Elle m'a souri quand je me suis installé et je lui ai rendu sa politesse.

— Je suis encore tout excité par le match, a dit Collin. Je crois qu'en première période Jonathon a tué la pénalité à lui tout seul.

Nous avions eu une pénalité et la rondelle ne m'avait plus quitté. Je l'avais transportée jusque dans notre zone, puis j'avais évolué en cercles dans la zone neutre avant de revenir dans la nôtre, et ensuite j'avais retraversé toute la patinoire. Je n'avais pas marqué, mais Lou m'a félicité quand je suis sorti et, par la suite, j'avais tué les autres pénalités.

— Le troisième but a été le meilleur, a dit Rasheed, quand tu as évité le défenseur et mis la rondelle sous la barre transversale d'un revers. Franchement, Jonathon, c'était habile en maudit !

J'aurais aimé qu'ils cessent de parler de moi. Ça me gênait vis-à-vis d'Alisha. Tout ce que j'ai trouvé à dire, c'est que l'équipe avait bien joué.

Rasheed et Collin se sont mis à rire si fort que les autres clients ont commencé à nous regarder. Alisha a ri un peu elle aussi. Son rire était musical, comme si elle avait chanté, à l'opposé de Rose, dont le ricanement ressemblait à une mauvaise toux.

— On continue de marquer comme ça et l'équipe va vraiment être bonne, a dit Rasheed.

Collin et lui ont commencé à parler du prochain match contre les Flames, qui se trouvaient deuxièmes au classement derrière les Red Wings.

— À quelle école est-ce que tu vas? ai-je entendu dire Alisha.

Il m'a fallu quelques secondes pour réaliser qu'elle me posait une question.

— Je doute que tu en aies entendu parler. Je n'habite pas dans le même quartier que toi.

— Oh!

— Et toi, où tu vas?

— À la même que Rasheed, a-t-elle gloussé.

— En quelle année?

Elle a ri encore plus.

— Même année que lui. Nous sommes jumeaux, pour le cas où tu ne l'aurais pas remarqué. Mais nous ne sommes pas dans la même classe.

Rasheed a dû l'entendre.

— On le serait si tu ne traînais pas avec tous ces petits surdoués.

— Tu pourrais suivre le programme avancé si tu te donnais la peine d'essayer et de faire tes devoirs.

— J'ai déjà fait mon travail à la maison, une fois. C'est juste que je ne me rappelle pas quand.

Alisha n'a pas eu l'air impressionnée. Plutôt dégoûtée.

— Tu es tellement bête, parfois.

— Il faut l'être pour s'en rendre compte, a répliqué Rasheed.

— La bouffe! a interrompu Collin.

Rick a déposé deux plateaux sur la table. Rasheed et Collin se sont jetés dessus, mais Alisha leur a donné une tape sur la main.

— Jonathon est notre invité d'honneur aujourd'hui. Vous vous comportez comme des animaux. Vas-y, sers-toi, a-t-elle ajouté à mon intention.

— Je ne sais pas lesquels sont à moi.

— Je t'ai entendu demander des piments, ce sont donc probablement ceux sur lesquels est écrit « PF ».

J'ai pris mes deux hamburgers. Collin et Rasheed riaient et je sentais le rouge me monter au front.

— Silence, vous deux! a fait Alisha en prenant son hot-dog. On dirait deux idiots.

Rick s'est assis et nous a tendu nos boissons.

— Avalez ça en vitesse. Il se fait tard.

Mon premier hamburger est descendu si vite que je ne me suis pas souvenu de l'avoir mangé. Rasheed a déversé les frites et les rondelles d'oignon sur une serviette au milieu de la table et nous nous sommes servis. J'ai dû faire un effort pour ne pas engouffrer le tout.

J'avais à peine mangé la moitié de mon second hamburger que Rick a tout gâché.

— Il faut y aller, a-t-il dit. Il est presque dix heures.

— Pas de problème, a dit Collin. Mes parents adorent quand je ne suis pas là.

Ils ont tous ri. Je me suis pratiquement étouffé avec mon hamburger. Je me demandais si j'aurais le temps d'aller de la patinoire au théâtre pour y laisser mon équipement et de revenir à la Cave avant la fermeture de la porte. Sinon, il me faudrait passer la nuit dehors. Rien que l'idée me paralysait. Je pourrais peut-être dormir sur une grille d'aération, mais des ivrognes devaient déjà y être. Il faudrait que je marche toute la nuit pour me réchauffer. J'ai pensé à la porte métallique près du centre commercial. Peut-être qu'elle n'avait pas encore été réparée et que je pourrais me glisser dans l'escalier.

Alisha m'a tiré par le bras. Elle avait dû remarquer mon trouble, car elle m'a demandé si tout allait bien.

— Ma mère aime bien que je rentre tôt… les jours d'école. Pas de problème. Je ne pensais pas qu'il était si tard.

Les autres n'avaient pas l'air spécialement ennuyés, même Rick, et il nous a fallu encore une dizaine de minutes pour terminer. Tout à coup, mon hamburger m'a paru aussi sec que de la craie.

— Pourquoi ne pas finir les milk-shakes dans la voiture? a dit Rick.

Rasheed a aspiré dans sa paille, ce qui a produit ce petit gargouillement qui signifie que le gobelet est vide.

— Pas la peine, papa. Le problème est résolu.

Quelques secondes plus tard, Collin en avait lui aussi terminé, puis Alisha. Tous les regards se sont tournés vers moi. J'ai tiré tellement fort sur ma paille que j'ai cru que j'allais vomir. Finalement, le gargouillis m'a annoncé que le gobelet était vide. Je l'ai vivement déposé sur la table. J'avais envie de hurler, tant j'étais exaspéré. Pour ces gens-là, tout n'était que prétexte à rire.

18

L'horloge de la fourgonnette indiquait dix heures quinze lorsque nous avons enfin quitté le stationnement. J'avais les idées complètement embrouillées. Le meilleur plan serait peut-être de dormir dans le conteneur à ordures et d'utiliser les sacs en guise de couvertures.

Puis, comme si je n'étais pas déjà assez nerveux, Rick m'a demandé où je vivais.

— Tu habites près de la gare, n'est-ce pas?

J'avais pensé qu'il me déposerait à la patinoire.

— Euh... oui.

— Quelle est l'adresse?

— Vous pouvez me déposer à la patinoire, je continuerai à pied.

— Ne sois pas bête, Jonathon, a-t-il dit en riant. Il est dix heures et demie. Je ne peux pas te laisser déambuler en ville. Ta mère me tuerait.

Il s'est tu un instant, puis a repris:

— Alors, cette adresse?

Je me suis souvenu de la rangée de maisons qui se trouvait derrière la gare. Je n'avais malheureusement pas la moindre idée du nom de la rue.

— C'est juste derrière la gare. Vous voyez les maisons en enfilade ? C'est cette rue-là. Vous prenez Front Street jusqu'à…

— Je connais le coin. Belles maisons. Je me rappelle quand elles ont été construites. Pas de problème. C'est sur mon chemin, de toute façon. On y sera dans dix minutes.

Le reste du voyage a été mortel. Rasheed et Collin ont plaisanté sans arrêt. Est-ce qu'il leur arrivait de se taire ? C'est facile de rire quand un lit chaud et moelleux vous attend à la maison. Ce qui m'attendait, moi, c'était une nuit d'errance. Je risquais de me faire agresser par des ivrognes ou de mourir de froid. Je me plaignais tout le temps de la Cave, mais je peux vous dire que, maintenant que j'étais coincé dehors, j'aurais donné n'importe quoi pour y entrer.

J'ai eu l'impression que ça nous avait pris une éternité avant de tourner dans la rue où j'étais censé habiter.

— Quel numéro ? a demandé Rick.

J'ai choisi une maison dont les lumières étaient éteintes.

— Celle juste après le panneau d'arrêt.

Rick a garé la fourgonnette. L'horloge indiquait dix heures quarante-cinq. Rasheed est sorti d'un bond et a ouvert le coffre.

— Merci pour le transport, ai-je dit. Et pour Johnny.

— Beau match, Jonathon, a fait Rasheed. As-tu besoin qu'on passe te prendre pour l'entraînement de mercredi? On peut faire ça, papa, non?

— Bien sûr. C'est assez tôt, à sept heures et demie. Il faudra partir à six heures et demie pile. On te retrouve au même endroit?

— C'est parfait, ai-je répondu.

Je n'avais pas la tête à m'entraîner. Le vent glacé traversait mon manteau.

— À la prochaine, a dit Rasheed en remontant dans la voiture.

— Enchantée de t'avoir connu, a fait Alisha tandis que la porte se refermait.

Je lui ai fait un signe de la main et je suis allé à l'arrière pour récupérer mon équipement et mon bâton. Ce faisant, j'ai remarqué un sac de nylon bleu muni d'un lacet de fermeture. J'ai tendu le bras et je l'ai tiré un peu. Un sac de couchage! La plupart des Rats de cave auraient tué pour un vrai sac de couchage. Le mien était à peine plus épais qu'un drap de lit, et il était si court que je devais y dormir recroquevillé. De plus, le fond commençait à se déchirer. J'ai attrapé le sac et je l'ai fourré dans mon sac de hockey aussi vite que j'ai pu.

— Hé, Jonathon! a fait Rasheed en souriant par-dessus le dossier de la banquette arrière. Tu étais en feu, ce soir. Pour la première fois de la saison, j'ai vraiment hâte au prochain match. À mercredi!

J'avais trop peur pour répondre. M'avait-il vu prendre le sac de couchage?

— Alors, euh… à bientôt, a-t-il répété.

— OK, bonsoir, ai-je fini par articuler.

J'ai agité la main, mais la fourgonnette n'a pas démarré. Je me suis rendu compte qu'ils attendaient que je sois rentré. J'ai jeté un coup d'œil aux alentours et j'ai remarqué une grille qui menait vers l'arrière. J'ai tiré le loquet et, de nouveau, j'ai fait un signe de la main. Cela a dû les convaincre que j'étais bien chez moi et la fourgonnette s'est éloignée. J'ai continué d'agiter la main jusqu'à ce qu'ils disparaissent.

Il neigeait légèrement et les rues étaient calmes. Celle-ci était vraiment belle, avec ses lampadaires de style ancien et toutes les maisons qui se ressemblaient. Si j'avais pu pénétrer dans l'une d'entre elles, ça aurait été parfait. J'ai refermé la grille et j'ai descendu la rue.

Je n'avais pas le temps d'emporter le sac de hockey jusqu'au théâtre. J'ai donc décidé de le cacher à l'intérieur de la Cave, près de la porte. Rigger me ferait payer un supplément s'il le savait, mais je pourrais me lever tôt et le déplacer avant qu'il ne le trouve. Avec un peu de chance, Creeper serait encore de garde et il ne vendrait pas la mèche. Je haïssais Rigger plus que tous les autres.

Au moins, je n'avais pas faim et le match avait été agréable. Pendant tout le temps qu'il avait duré, je n'avais pensé ni à la faim, ni à Will ou à W5, ni à quoi que ce soit. J'aurais aimé que le match ne s'arrête jamais, que je puisse jouer au hockey et ne pas me préoccuper du reste.

J'ai dévalé la pente en essayant de ne pas me casser la figure, avec le sac à l'épaule. J'utilisais mon bâton pour l'équilibre, et j'y suis arrivé. À travers la vitre, près de la porte, j'ai cru voir une lumière trembloter. J'ai retenu ma respiration et me suis approché de la porte. Rigger nous avait mis en garde de ne pas tambouriner au pont-levis après le couvre-feu. Je me suis donc contenté de donner quelques coups légers avec mon bâton.

Creeper a regardé à l'extérieur, une cigarette entre les lèvres. Je n'aurais jamais pensé avoir du plaisir à le revoir.

— T'as de la chance que j'aie décidé de fumer une cigarette avant de descendre, a-t-il dit.

— Merci!

Jamais je n'avais été aussi heureux de passer le pont-levis.

Il a haussé les épaules et s'est rassis, regardant par la fenêtre et aspirant une bouffée de sa cigarette.

— Crois-tu que ça ira si je laisse mon sac ici pour la nuit?

— C'est le cadet de mes soucis. Fais ce que tu veux.

J'ai sorti le sac de couchage et j'ai repoussé le sac avec mes affaires de hockey dans le coin. J'avais commencé à descendre lorsque j'ai entendu Creeper demander:

— Vous avez gagné?

J'ai remonté ma tête.

— Oui. 4 à 2. Première victoire de la saison.

Il a fait une grimace.

— Ton équipe, ça m'a l'air de la merde.

J'ai repris ma descente, tout à la pensée de mon nouveau sac de couchage. Il y avait gros à parier que Will et les autres seraient jaloux comme des tigres. Aussitôt rendu à ma chambre, j'ai déroulé le sac et je m'y suis glissé. Il était si doux et si chaud que je me serais cru dans un four. Au bout d'une minute, j'ai dû enlever mon manteau et mes chaussures, puis mon pantalon. Je me sentais mal de l'avoir volé, surtout vu la manière dont Rasheed, Alisha et Rick s'étaient montrés gentils avec moi.

Je me suis fait une promesse : je ne volerais plus.

La dernière chose dont je me suis souvenu avant de sombrer dans le sommeil, ce sont les yeux verts d'Alisha.

19

J'ai jeté un coup d'œil dans la chambre de Lewis. Il s'était vraiment fait rare ces derniers temps, ce qui était en fait une bonne chose, car je n'avais pas eu à lui parler de W5. Aussi ai-je été surpris de le voir étendu sur son canapé, son iPod sur les oreilles. J'ai dû attendre une bonne minute avant qu'il me remarque.

— Ne fais pas ton timide, la Souris. Tu sais que tu peux venir quand tu veux. Assois-toi. Prendrais-tu du pain avec du beurre de pinottes ?

Je savais qu'il m'aurait tué si j'étais entré sans sa permission, mais je n'ai rien dit.

— Merci, ai-je fait. Peut-être un petit sandwich, oui.

En fait, j'aurais pu avaler un pain entier.

— J'ai entendu quelque chose d'intéressant à ton propos, a-t-il repris en me regardant avec un air enjoué. Apparemment, on a un problème avec W5 ?

J'ai raconté à Lewis ce qui s'était passé, m'attendant à ce qu'il me tombe dessus. Mais il ne l'a pas fait, bien au contraire. Avec un geste de la main, il m'a dit d'oublier l'histoire de W5.

— J'ai beaucoup mieux pour toi. Tu es trop brillant pour te contenter de livrer des paquets. Ce serait gâcher tes talents.

Il a ri de nouveau.

— D'abord, je t'ai trouvé quelque chose chez Goodwill, tu sais, celui de la rue Preston. Il était suspendu à l'extérieur. Ils appellent ça une vente de trottoir.

Il a vraiment éclaté de rire, comme s'il venait de sortir la meilleure blague du monde.

— C'était une bonne affaire, en tout cas. Ces idiots ne m'ont même pas vu le prendre.

Il a exhibé un manteau vert qu'il a lancé sur mes genoux.

— Essaie-le.

Il était d'une laideur inégalable, mais Lewis me l'avait tellement vanté, disant qu'il m'allait parfaitement et qu'il me donnait l'air d'un vrai dur, que je n'ai pas osé le contredire. Le capuchon était bordé de fausse fourrure retenue par du velcro. Vraiment atroce… Pour couronner le tout, il était muni d'énormes poches intérieures.

— Ça te va bien, a-t-il dit. Je le savais. Parfait. J'ai eu du flair.

— Merci Lewis. Je… euh… il est vraiment bien.

Je devais avoir l'air d'un parfait imbécile.

— Pourquoi ne pas sortir ensemble aujourd'hui ? a-t-il fait tout à coup. T'as quelque chose à faire ?

— Pas vraiment. Aller au marché avec J. J., et peut-être aussi Will et Rose. Sais pas.

— Laisse-les tomber, a-t-il dit en posant son bras sur mon épaule. Viens avec moi. Je connais un moyen de faire plus de *cash* qu'en quêtant. Tu vaux mieux qu'eux, la Souris. Tu dois tirer parti de tes capacités. Pourquoi perdre ton temps à mendier quelques sous qui finiront dans la poche de Rigger?

Il a prononcé « Rigger » comme s'il s'agissait d'une insulte. Personne ne parlait ainsi de Rigger. Bien sûr, Lewis n'avait peur de personne.

Il a désigné ma chambre d'un geste.

— J'ai remarqué que tu avais un superbe sac de couchage. Où est-ce que tu l'as piqué?

Ça faisait trois semaines que je l'avais volé dans la voiture de Rasheed et, même si je l'aimais beaucoup, je ne pouvais pas me débarrasser d'un certain sentiment de culpabilité. Mais je ne voulais pas passer pour un niais aux yeux de Lewis. J'ai donc menti:

— Devant une boutique de surplus de l'armée. Ça devait être ce que tu appelles une vente de trottoir. Je l'ai ramassé pendant qu'ils regardaient ailleurs.

Lewis a frappé de la main sur le canapé.

— C'est ce que je disais, la Souris! T'es *hot*. Ce sac va te garder en bonne santé. Reste vigilant. Choisis un endroit, mets-toi à l'affût et fais ton coup discrètement. Tu es petit, les gens ne te remarqueront même pas.

— OK, Lewis.

Il a plongé la main dans une boîte et en a enfin tiré du pain et un pot de beurre de pinottes, puis il a sorti un couteau suisse de sa poche et me l'a tendu. C'était un beau couteau au manche noir et brillant, muni d'innombrables lames et autres gadgets. Je n'ai pas perdu de temps à préparer un sandwich. Je n'avais mangé que trois *buns* chinois la veille et j'étais affamé.

— J'ai entendu dire que tu jouais encore au hockey.

J'ai dû faire un effort pour avaler mon bout de pain.

— Je joue dans le AA. On a gagné cinq matchs, mais on a perdu contre l'équipe championne. On a un match ce soir, et trois autres ensuite. Si on en gagne encore deux ou trois, on devrait faire les séries. Ce qui serait un miracle vu qu'avant mon arrivée, on n'avait pas gagné un seul match.

Cette dernière phrase pouvait passer pour de la vantardise, et j'ai regretté de l'avoir prononcée.

— Je n'aime pas beaucoup cette idée que tu traînes avec des Réglos... mais je dois admettre que je suis impressionné. Et ça te fait une autre occupation que de mendier avec J. J.

Je n'ai pu retenir une moue de dégoût à la mention de son nom.

— C'est sûr. Il est tellement *loser*.

— Prends-en encore un peu et on file au centre commercial.

Il a attrapé son sac à dos. Je me suis fait une autre beurrée et je l'ai suivi jusqu'à l'échelle. Ça allait être une journée formidable. Une balade avec Lewis, puis un match dans la soirée.

20

Je n'étais pas retourné au centre commercial depuis que cette dame nous avait surpris dans les escaliers. Lewis ne s'est pas montré très intéressé lorsque j'ai tenté de lui raconter ce qui nous était arrivé. Nous sommes entrés et avons déambulé à l'intérieur. Lewis ne semblait s'intéresser à rien, surtout pas à moi, et il n'a pratiquement pas dit un mot. J'avais mieux à faire que de le bombarder de questions.

Nous sommes allés nous promener jusqu'au bout, puis nous sommes revenus, et nous avons recommencé avant de nous diriger vers l'aire de restauration.

— Tu veux des frites ? m'a-t-il demandé.

— Sûr, ai-je répondu, même si c'était certainement la question la plus stupide qu'on m'ait jamais posée. Il m'en a acheté une grande portion. Elles étaient chaudes et croustillantes.

— T'en veux ? ai-je proposé.

Lewis a secoué la tête.

— Tu as tort, elles sont vraiment bonnes. Tu es sûr ?

Ça l'a fait sortir de ses gonds.

— J'en veux pas, de tes frites. Mange-les toi-même !
a-t-il dit d'une voix dure.

Puis il s'est mis à rire et il en a attrapé quelques-
unes.

— Merci, la Souris. Je vais me laisser tenter.

Il s'est rassis et a placé ses mains derrière sa tête.

— Mendier, c'est pas facile, hein ?

J'ai mâchouillé quelques frites en hochant la tête.

— J'ai été comme toi. Me battre pour quêter quelques sous, chanceux quand je pouvais faire un ou deux
dollars par jour, et après avoir mangé et payé Rigger
ou un autre pour dormir, qu'est-ce qu'il me restait ? Un
gros zéro.

J'ai enfoncé mes doigts dans le contenant de carton
pour attraper les dernières frites.

— Mendier est une perte de temps. Alors je vais
t'apprendre comment faire de l'argent pour de bon – et
pas deux dollars par jour, deux cents.

— Comment faire ça ?

La chose me semblait impossible. Est-ce que Lewis
gagnait deux cents dollars par jour ?

— Tu as terminé ? a-t-il demandé en montrant le
carton vide.

— Oui.

— Parfait. Suis-moi et je vais te montrer.

Il a tiré une casquette de sa poche et s'en est coiffé,
puis je l'ai suivi vers un magasin d'électronique.

Lorsque nous sommes entrés, un type maigre vêtu
d'un T-shirt rouge vif discutait avec un client et un

autre, portant le même T-shirt, se tenait derrière la caisse. Lewis m'a emmené de l'autre côté du magasin, près d'un rayon d'exposition assez haut. Avant que j'aie pu demander ce que nous étions venus faire là, Lewis a fourré quelques boîtes dans les poches de mon manteau. Il l'a fait si rapidement que je n'ai pas pu réagir.

— Suis-moi, a-t-il ordonné.

Il s'est arrêté derrière un autre étalage et a mis d'autres boîtes dans mes poches, puis il a ajouté de ces machins qui ressemblent à des porte-clés dans les poches extérieures.

— Qu'est-ce que tu...?

— Silence! a-t-il sifflé. Fais ce que je te dis et tout ira bien. Je vais payer quelque chose à la caisse. Tu as vu ces deux colonnes blanches à l'entrée de la boutique, quand nous sommes entrés?

J'ai hoché la tête.

— Ce sont des alarmes. Si tu passes entre elles, tu vas déclencher une sonnerie. Mais il y a un espace à droite, entre la colonne et la vitre. Je suis trop gros, mais toi, tu es assez mince pour t'y glisser sans problème. Sors par là et attends-moi dans le centre commercial.

Il s'est éloigné sans me laisser le temps de répondre. Le goût des frites m'est remonté à la gorge et je me suis soudain senti si mal que j'ai eu un besoin impérieux d'aller aux toilettes.

Lewis bavardait avec le type de la caisse. Le maigre discutait toujours avec son client. Si j'essayais d'aller remettre toutes ces marchandises sur les présentoirs, ils ne manqueraient pas de me voir, sans compter ce que Lewis me ferait subir. Que pouvais-je faire ? J'ai tenté de surmonter le sentiment de honte qui me taraudait l'estomac et je me suis dirigé lentement vers la sortie, faisant semblant de regarder des piles.

J'ai considéré la colonne de droite. Un mince espace la séparait de la vitrine, comme l'avait dit Lewis. J'ai jeté un coup d'œil à la caisse. Lewis était en train de payer. Il m'a fait un clin d'œil, ce qui signifiait que je devais y aller.

J'ai retenu ma respiration et je suis passé.

Rien. Pas de sonnerie. J'avais réussi !

— Veuillez revenir dans le magasin, s'il vous plaît.

J'ai senti une main saisir mon manteau. J'ai regardé par-dessus mon épaule. C'était le vendeur maigre. Il riait.

— J'aimerais voir ce qu'il y a dans ces poches, a-t-il dit.

« Sûrement pas », ai-je pensé, et j'ai détalé aussitôt. Il a violemment tiré sur ma capuche.

— Pas si vite, a-t-il fait, riant toujours.

J'ai entendu le craquement du velcro qui se détachait. Il a brusquement cessé de rire lorsque la capuche lui est restée dans la main. J'étais libre !

Je me suis rué comme un fou dans le centre commercial en zigzaguant entre les promeneurs.

— Arrêtez ce gamin ! a crié le vendeur.

Quelques Réglos m'ont dévisagé d'un drôle d'œil, mais ils n'ont rien fait. Plus loin, j'ai remarqué le signe indiquant les toilettes et ça m'a donné une idée. J'ai coupé à gauche et je me suis précipité dans le couloir jusqu'à atteindre une porte au-dessus de laquelle était écrit « Sortie interdite ». Je savais que cette porte donnait sur l'escalier secret. Je me suis jeté dans l'escalier et je me suis retrouvé dans la rue en moins de temps qu'il n'en faut pour le dire.

J'ai couru à en perdre haleine, jusqu'à ne plus être capable de faire un pas. J'ai dû m'arrêter, mains sur les genoux, essayant de reprendre ma respiration. J'ai regardé autour de moi, à l'affût du vendeur ou de n'importe qui arborant un T-shirt rouge – ou encore d'un agent de sécurité. Ne voyant personne, je suis reparti, mais un peu plus lentement cette fois. C'est alors seulement que je me suis rendu compte que j'étais arrivé près de la gare. Je me suis dit que je pourrais continuer jusqu'à la Cave et que Lewis m'y retrouverait. Je me suis demandé s'il avait été pris.

Lewis allait me blâmer, c'était certain. Mais ce n'était pas ma faute si le vendeur m'avait vu. C'est son plan qui était nul. J'avais un manteau à peu près cinq fois trop grand pour moi. Et comment ne pas se faire repérer en contournant les colonnes d'alarme ? Et pourquoi ne m'avait-il pas informé de ce que nous allions faire ? Je préférais mendier toute la journée plutôt que de recommencer un truc pareil. Plus jamais je ne volerais dans une boutique. Je me sentais assez mal à cause des patins, et aussi à cause du sac de couchage. Les patins, ça avait été un coup unique. Sans le hockey, ma vie aurait été… Je ne sais pas… Elle n'aurait pas valu la peine d'être vécue. Quant au sac de couchage, eh bien, c'était différent : j'avais besoin de dormir au chaud. Mais ça !

J'ai sorti un objet d'une des poches intérieures. C'était un iPod. Les genres de porte-clés étaient des clés USB. Tout ça coûtait cher.

Le pont-levis s'est ouvert et Rigger est sorti. Je ne l'avais jamais vu à l'extérieur, et il n'avait pas l'air spécialement content de me voir.

— J'ai déjà dit que je ne voulais pas vous voir fourrer le chien par ici, a-t-il aboyé.

— Je ne… fourre pas le chien.

Je ne savais pas ce que l'expression voulait dire, sinon que c'était quelque chose que Rigger n'aimait pas. Je savais que Rigger allait me poser des questions, j'ai donc pris les devants.

— J'ai rendez-vous avec Lewis. Il m'a dit de l'attendre ici.

— M'en fous. Tire-toi. Tu vas attirer l'attention des policiers, alors dégage.

Il était impossible de discuter avec Rigger, à moins de vouloir prendre des coups. J'ai remonté la pente et je me demandais ce que j'allais faire lorsque j'ai aperçu Lewis qui me faisait signe de l'autre côté de la rue. Il a traversé, un grand sourire aux lèvres.

— Quelle élégance dans l'urgence, la Souris ! Comment est-ce que tu t'en es sorti ?

Je lui ai raconté l'histoire de la porte donnant sur l'escalier.

— Ça, c'est savoir tirer parti de tes talents, la Souris. Je savais que tu perdais ton temps à mendier.

Il m'a entraîné vers le bas de la côte.

— Viens, on va vérifier le butin.

— Rigger est en bas, ai-je dit en me dégageant.

Je ne sais pas pourquoi, mais je n'aimais pas qu'il me touche.

— C'est bon. On va aller dans le terrain derrière la gare.

Tout le long du chemin, Lewis a vanté la bonne équipe que nous formions et évoqué l'argent que nous allions faire tous les deux ; il a parlé d'un autre magasin qu'il connaissait et où le vol serait deux fois plus facile, ajoutant qu'ainsi il pourrait payer sa dette à W5 et continuer à faire des affaires avec lui. Il parlait si vite qu'il m'étourdissait. Pendant tout ce temps, je ne pouvais penser qu'à ce que ma mère aurait dit. J'avais volé un paquet de gommes, une fois, dans un dépanneur, et elle m'avait obligé à le rendre et à présenter mes excuses. Elle était résolument opposée au vol. Elle m'avait surnommé « mon petit ange ». Ça avait été ses derniers mots.

Je n'étais pas un ange. J'étais un criminel.

Une fois qu'on est arrivés au terrain vague, Lewis a vidé mes poches.

— Résultat des courses ! a-t-il annoncé. Deux iPod, une quinzaine de clés USB, quatre iPod shuffle et quelques écouteurs. Ton premier fait d'armes, et exécuté en beauté.

Il a fourré le tout dans son sac à dos.

— Je vais écouler tout ça et tu toucheras ta part. Aie confiance. C'est fantastique, et ce n'est que le début. Tu t'es bien débrouillé. Pour demain, j'ai une idée encore meilleure.

— Je ne veux plus le faire.

Lewis a rejeté la tête en arrière, comme si je l'avais frappé.

— Quoi? Tu ne veux plus faire un tas d'argent?

— Je ne veux plus voler. Ma mère m'a dit...

— Qu'est-ce que ta mère a à voir là-dedans? On vient juste de ramasser une montagne de *cash* et maintenant tu me tournes le dos, après tout ce que j'ai fait pour toi? N'oublie pas que je t'ai introduit à la Cave.

Il m'a lancé un regard dur.

— Je sais, Lewis, et je ferais n'importe quoi pour t'aider, je te le jure. Mais je ne veux plus faire ça. C'est... c'est...

J'allais dire que ce n'était pas bien, mais ça l'aurait mis en colère.

— Je ne veux plus, c'est tout.

Il m'a violemment repoussé d'un coup à la poitrine et a jeté son sac sur son dos.

— Tu te crois malin? On verra ça. C'est pas pour rien qu'on t'appelle la Souris. Je garde tout ça en dédommagement de ce que je t'ai donné. N'espère plus rien de moi. Je te conseille même de ne plus trop t'approcher de moi si tu ne veux pas d'ennuis. Va plutôt traîner avec ton équipe de hockey. Dis-leur que tu es un sans-abri, pendant que tu y es. Je suis sûr qu'ils aimeront ça.

J'ai regardé Lewis s'éloigner à grands pas. « C'est mon meilleur ami, me suis-je dit. Ça va s'arranger. Il a juste un peu mauvais caractère. Je n'ai qu'à le laisser se calmer.» En tout cas, je savais enfin comment il gagnait autant d'argent. C'était un délinquant. C'était pourquoi il s'était mis en cheville avec Fitzy. Et je devinais également ce que pouvaient contenir les paquets que je remettais à W5.

Je n'étais sans doute pas un petit ange, mais j'espérais que maman serait fière de moi en ce moment. Juste un peu.

21

J'ai respiré un grand coup. Mes jambes tremblaient. J'avais joué pendant presque toute la troisième période. Il fallait au minimum un match nul si nous voulions passer en séries. Les choses ne s'étaient pas très bien passées récemment et nous avions perdu deux de nos quatre derniers matchs. Et là, nous avions du retard. Tout le monde avait pensé que nous l'aurions facile parce que nous jouions contre les Nationals et qu'ils étaient nuls, mais nous tirions de l'arrière par un but et il ne restait plus qu'une minute à jouer.

— Passe-la-moi en arrière, a fait Peter.

C'était ce qu'il disait à chaque mise en jeu. Quelle bonne idée! Comme ça, il pourrait se la faire prendre... Je le faisais quand même, parfois, parce que quelques gars me reprochaient de trop garder la rondelle et de monopoliser la glace. Même les parents avaient fait des remarques.

Rasheed a donné un coup sur mes jambières.

— Il faut forcer le jeu vers le fond, comme ça on pourra retirer notre gardien. Leur ailier se trouvera sur le cercle. Renvoie-moi la rondelle et je la dégagerai.

Ça me semblait un bon plan.

— Marquons ce but, les Rangers! a crié Collin.

Depuis le début j'avais le même type sur le dos, et il y était encore. Un vrai poison, et traître avec ça. Il m'avait accroché et dardé pendant tout le match et l'arbitre n'avait rien dit. Il a désigné son ailier, comme s'il allait gagner la mise en jeu. Aucune chance…

J'ai regardé la rondelle dans la main de l'arbitre. Il l'a déposée, je l'ai saisie et l'ai envoyée à Rasheed. Malheureusement, l'ailier gauche des Nationals l'a interceptée et Rasheed n'a pas pu la renvoyer hors de notre zone. Leur défenseur l'a expédiée le long de la bande jusque derrière notre filet. Peter est allé la chercher et Collin a pris position devant.

J'ai vérifié l'horloge. Une minute. Vraiment parfait! Le jeu serait terminé avant qu'on touche la rondelle… Je me suis glissé dans l'enclave.

— Dégage, le nain! a fait le centre en me donnant un double-échec dans le dos.

Comme d'habitude, les arbitres n'ont rien dit.

— Ça va faire! ai-je rétorqué, et je l'ai cinglé à la cheville d'un coup vif.

Avant que j'aie pu apprécier sa réaction, le salaud m'a donné un coup du manche de son bâton dans les côtes. La douleur a été vive. Heureusement, Collin est arrivé à la rescousse.

— Je le couvre, a-t-il dit.

Cela m'a permis de partir après la rondelle. J'étais content d'être débarrassé de ce type.

Rasheed et Peter étaient aux prises avec deux Nationals pour le contrôle de la rondelle. Rasheed m'a aperçu alors que je me trouvais à une dizaine de pieds. Il a accroché le bâton de son adversaire et a pu libérer la rondelle. J'ai cru qu'il serait pénalisé, et les Nationals ont dû avoir la même idée, car ils ont ralenti.

Mais les arbitres n'ont rien dit, ce qui me convenait d'autant plus que je venais enfin de transporter le disque sans avoir cet adversaire collé aux fesses. J'ai fait volte-face dans le coin et je suis sorti de notre zone avec la rondelle. Pas question de passer.

Je suis arrivé au centre et me suis élancé pour déjouer le défenseur. Je me suis faufilé facilement. C'était un deux contre un avec Derrick à ma droite, qui criait en réclamant une passe. Ça m'a énervé. Je faisais tout le boulot et lui, il voulait la gloire. J'ai feinté et j'ai lancé la rondelle vers le coin supérieur, du côté du gant du gardien. Celui-ci s'est mis en papillon et l'a bloquée avec son gant. Peut-être que j'aurais dû passer...

Mais les dieux du hockey étaient avec moi. Le gardien n'a pas pu saisir la rondelle. Elle a heurté le haut de son gant et est retombée à l'intérieur du but. L'instant d'après, je m'écrasais contre la bande, tête première. Ce crétin de centre m'avait violemment poussé alors que je venais de marquer.

Rasheed m'a remis sur pied.

— Te voilà tiré d'affaire, a-t-il dit. Il reste à tuer ces trente secondes et nous sommes bons pour les séries.

J'ai touché ses jambières.

— Ce gardien est un *loser*. J'arrive pas à croire qu'il ait laissé passer ce but-là.

Collin est arrivé et a donné un coup de gant sur mon casque.

— Je savais que tu marquerais. J'en ai jamais douté.

J'ai pris mon temps pour me rendre jusqu'au banc afin de savourer ce moment. Les gars étaient étonnamment calmes. J'avais pensé qu'ils allaient se montrer beaucoup plus excités, mais j'ai compris pourquoi ils ne l'étaient pas : il restait encore un peu de temps à jouer. J'ai donc gardé mon sang-froid moi aussi. Derrick s'est approché du banc et m'a demandé :

— Pourquoi tu ne m'as pas fait une passe ? J'avais une ouverture.

Ce type était vraiment nul.

— J'ai marqué. Où est le problème ?

— Oublie ça, a-t-il dit.

Il avait quand même cassé l'ambiance. Oui, j'aurais sans doute dû faire une passe. Derrick aurait certainement marqué. J'avoue que je me sentais un peu gêné de ce que les autres pensaient de moi. Rasheed et Collin étaient des amis. Les autres étaient plutôt sympas, mais une fois j'avais entendu Derrick m'appeler Monopoly. Peut-être n'était-ce pas injustifié. Malcolm me reprenait constamment à propos de ma tendance à garder la rondelle.

Quelques parents criaient dans les gradins.

— Maintenez-les loin de notre zone, les Rangers !

— Protégez le pointage !

L'arbitre a sifflé.

— Temps d'arrêt pour les Nationals.

Je me suis penché par-dessus la bande et j'ai attrapé une bouteille d'eau, puis nous nous sommes attroupés autour de nos entraîneurs.

— Voilà ce qu'on va faire, a dit Lou. Ils vont retirer leur gardien, alors gardez la rondelle dans leur zone. Et pas de dégagement interdit. Je ne veux pas de mise en jeu dans notre zone. Les ailiers jouent la sécurité. Sur la bande et à l'extérieur. Les défenseurs tirent dans la baie vitrée si nécessaire. Pas de dégagement à notre ligne bleue.

Il m'a montré du doigt.

— Jacob, tu prends la place de Jonny au centre. Allez-y !

J'étais ahuri. Je venais de marquer le but qui nous donnait accès aux séries et on me retirait du jeu au profit de Jacob. J'ai poussé la porte si violemment qu'elle a claqué et je me suis assis, le dos contre le mur. Malcolm s'est approché.

— Je t'ai déjà prévenu pour les passes. Derrick avait une ouverture. Je suis content que tu aies marqué, mais ça a été un coup de chance. La bonne chose à faire, c'était de passer. Le défenseur et le gardien étaient constamment sur toi.

Je savais qu'il avait raison, mais j'étais tellement en colère d'avoir été renvoyé que… eh bien… ça m'a échappé :

— Je pourrais marquer dix buts que tu m'engueulerais encore, c'est vraiment poche.

Il m'a lancé un regard appuyé.

— Ce n'est pas comme ça qu'on parle à son entraîneur dans cette équipe. J'essaie…

Il a repris son souffle.

— J'essaie de t'apprendre à jouer au hockey. À jouer en équipe.

Un hurlement l'a interrompu. Nous avons relevé la tête en même temps. Peter poursuivait un gars en échappée. C'était incroyable.

Arrivé tout près du filet, le gars a amorcé un revers et Andrew s'est mis en style papillon. Un peu trop, toutefois, et quand l'attaquant a repassé la rondelle de son côté naturel, il a eu une ouverture facile du côté du gant.

Et l'abruti a frappé le poteau de plein fouet. Je le jure! Il a manqué son coup. Je me suis mis à rire comme un fou tellement c'était drôle. Peter a frappé le rebond vers le coin et Rasheed a fait le reste, ramenant la rondelle au centre. La sirène a annoncé la fin du match avant que les Nationals aient pu faire ressortir la rondelle de leur zone.

Les Rangers étaient en route pour les séries.

22

Tout le monde a sauté par-dessus la bande et s'est précipité sur Andrew, qui s'est retrouvé dans le filet. J'ai regardé Malcolm en m'éloignant, comme pour dire « Voilà ce qui arrive quand on me met à l'écart ! ».

— Beau match, ai-je dit à Derrick, voulant me faire pardonner pour ne pas lui avoir passé la rondelle.

Il n'a manifestement pas entendu, car il est parti et s'est mis à tambouriner sur le casque de Rasheed et de Collin.

— Bien joué, Andrew, ai-je dit à notre gardien. T'as été fort.

Il a grommelé un « merci » et il est parti rejoindre Jacob et Peter.

— En route pour les séries, ai-je ajouté à l'intention de Rasheed.

Derrick a haussé les épaules et a rejoint lui aussi Jacob et Peter.

— Tu pétais des flammes, aujourd'hui encore, a fait Collin, d'un ton plus doux, cette fois.

— Qu'est-ce qui s'est passé à la fin ? ai-je demandé. Peter a renvoyé la rondelle ?

Je ne pouvais toujours pas admettre que Lou m'ait écarté. Rasheed a détourné le regard et Collin a frappé la glace avec son bâton.

— Je n'ai rien pu voir. Malcolm était en train de m'engueuler au banc.

— Je crois qu'on n'avait pas besoin de cette dernière échappée, a fait Rasheed. Mais enfin, on est bons pour les séries.

— Placez-vous en ligne, les gars, a lancé Peter.

Je me suis placé à l'extrémité et j'ai commencé à échanger des poignées de main avec les Nationals. À mi-chemin, j'ai remarqué que je me rapprochais de ce centre que j'avais tout le temps eu sur le dos. Je me suis préparé au pire – même à un coup de poing.

— Beau match, m'a-t-il dit. Bonne chance pour les séries.

Il est passé avant que j'aie pu répondre. C'était étrange. J'avais l'impression qu'il me détestait. Tout ce match avait été étrange, et cette sensation persistait dans le vestiaire. J'avais cru que tout le monde serait très excité, mais ce n'était pas le cas et chacun se contentait de se changer. D'habitude, Lou venait immédiatement pour nous parler, mais pas ce soir.

J'étais un expert pour ce qui était d'écouter les gens sans qu'ils s'en rendent compte. C'est ainsi que je surprenais les bavardages dans la queue pour les toilettes, le matin, et que j'apprenais ce qui se passait dans les « suites de luxe ». Aussi, lorsque j'ai vu Peter, Derrick et Andrew discuter à voix basse, j'ai décidé de les écouter. J'ai ouvert mon sac et je me suis penché en avant, faisant semblant de chercher quelque chose.

— La Boule puante est un vrai rat, disait Peter. Je sais qu'il est capable de mettre la rondelle dans le filet, mais il pourrait passer de temps en temps.

C'était donc ainsi qu'ils m'appelaient? Le rat, c'était une chose, mais Boule puante? Est-ce que je sentais aussi mauvais? Vraiment?

— Il ne joue que pour lui-même, a dit Derrick. Il n'en a rien à faire de cette équipe. Malcolm lui parle à chaque match, mais il persiste à ne pas faire de passes.

— L'équipe était plus sympa quand on perdait, a commenté Andrew.

— Qu'est-ce que ça peut faire qu'il marque? Moi aussi, je pourrais marquer si je ne faisais pas de passes, a ajouté Derrick.

J'ai commencé à délacer mes patins, tout en prêtant l'oreille.

— Mon père est en train de parler à Lou, a repris Derrick. Il est vraiment furieux. Il veut le faire virer de l'équipe.

— Et il ne paie même pas les frais, a renchéri Peter. Mon père me l'a dit.

— Vous avez déjà vu un gars porter les mêmes vêtements tous les jours? a dit Andrew en se mettant à rire. Pas étonnant qu'il pue!

— Essaie de t'asseoir à côté de lui sur le banc, a dit Derrick.

— Non, merci, a répondu Andrew en riant encore plus fort.

— Collin m'a dit que Rasheed doit se pincer le nez quand il monte dans sa voiture, a ajouté Peter.

Les trois riaient, à présent.

Est-ce que Rasheed faisait vraiment ça ? Et Alisha, que pensait-elle de moi ?

— Il vit dans une belle maison, a poursuivi Peter. Rasheed l'a vue. Mais c'est bizarre. Est-ce qu'il est pauvre ou quoi ? Si sa famille n'a pas d'argent, d'accord. Mais ce n'est pas juste qu'il se fasse prendre en charge seulement parce qu'il marque des buts.

— Et il a des patins Graf, a fait remarquer Andrew. Je veux dire… Allez !

— Je sais que le père de Rasheed en a marre de le conduire chaque fois, a fait Derrick.

— Rasheed et son père sont trop gentils pour lui dire quelque chose.

— C'était son idée, de faire entrer Boule puante dans l'équipe. C'est à lui de souffrir, a conclu Derrick, et ils ont éclaté de rire.

J'ai cessé d'écouter et j'ai arraché mon équipement. Ah ! Ils m'appelaient la Boule puante ! « Bande d'abrutis de Réglos ! » ai-je pensé. Crétins ! C'en est fini des Rangers ! Je reprends mes patins, mes gants et mon bâton et je disparais !

J'ai attaché les patins ensemble et je les ai jetés sur mon épaule. L'un d'eux m'est rentré dans les côtes ; ça m'a fait mal, mais j'étais trop en colère pour m'en préoccuper.

J'ai traversé la salle pour récupérer mon bâton. Celui d'un autre joueur était appuyé dessus. J'ai retiré le mien avec rage et tous les bâtons sont tombés sur le sol. Quelques-uns ont heurté une poubelle et ont résonné bruyamment, comme si quelqu'un avait joué du tambour.

— Du calme, Einstein, a lancé Derrick d'un ton ironique.

J'ai donné un coup de pied dans les bâtons et l'un d'eux a frappé Andrew à la jambe.

— Fais attention! a-t-il fait avec une grimace. Qu'est-ce qui te prend?

— Vous n'êtes qu'une bande de *losers*, c'est vraiment incroyable! ai-je hurlé.

Son visage est devenu rouge comme une tomate.

— Vous vous croyez malins! J'ai tout compris. La seule raison pour laquelle j'ai joué avec vous, c'est que j'avais honte de vous voir perdre tous vos matchs. Vous voulez me virer de l'équipe? Tant mieux! C'est une équipe de perdants. De perdants finis. Je n'ai plus besoin de perdre mon temps.

J'ai pointé mon doigt vers Rasheed.

— Toi, tu n'auras plus besoin de te boucher le nez. Même chose pour Derrick.

— Tu veux que je te passe la rondelle? Parfait. Tu l'as, maintenant. Marque des buts, puisque tu es si fort.

J'ai craché sur son sac, tellement j'étais hors de moi, et je suis sorti en claquant la porte. Lou et Malcolm étaient là en train de discuter avec quelques parents, dont Rick et le père de Derrick.

— Hé, Jonny, a lancé Lou, tout miel. Ça a été dur, ce soir. Est-ce que je peux te parler un moment avant que tu partes ? Je voulais te…

Comme si on allait discuter autour d'une tasse de thé…

— J'ai laissé ton équipement qui pue dans le vestiaire qui pue, alors laisse-moi tranquille.

Lou a haussé les sourcils.

— Pourquoi me cries-tu après ? Je veux seulement discuter…

— Je sais ce que tu veux me dire. Tu penses que je pue. Eh bien, toi, tu es gros, stupide et laid… et stupide. J'en ai marre de cette équipe, je ne comprends même pas comment j'ai pu y jouer.

— Jonathon, tu dois te calmer, a dit Rick.

— Et toi, tu dois te taire ! ai-je crié. Je sais que vous m'en voulez tous parce que je n'ai pas payé les frais. Eh bien, je ne les paierai pas ! Voilà deux dollars, tu feras aiguiser les patins de Rasheed parce qu'il ne peut pas patiner pour rien.

Je lui ai lancé la pièce, qui l'a atteint à la poitrine, puis est tombée sur le sol où elle a roulé jusqu'à s'immobiliser.

C'est seulement alors que j'ai remarqué que tout le monde me dévisageait, les parents des Rangers, mais aussi des étrangers. Rasheed et Collin se tenaient à l'entrée du vestiaire, avec leurs culottes de hockey et leurs jambières, bouche bée. Je devais partir, sinon j'allais me mettre à hurler. Et je ne voulais pas leur donner cette satisfaction.

J'ai traversé le stationnement en courant en direction de la rue. Je me souvenais que nous avions tourné à droite en arrivant, je devais donc prendre à gauche pour retrouver la rue principale. J'ai alors entendu quelqu'un crier mon nom à plusieurs reprises. C'était Alisha. Je me suis arrêté et j'ai fait demi-tour. Elle était la seule personne à m'avoir toujours bien traité. Je devais au moins lui dire au revoir.

— Jonathon, où vas-tu ? Comment vas-tu rentrer chez toi ?

— J'ai appelé mon oncle, ai-je menti. Il va venir me chercher.

Rick est arrivé derrière elle.

— Nous ne méritons pas d'être traités ainsi, a-t-il dit, bouillant de colère. Je t'ai transporté à chaque match et à chaque entraînement.

— Tu es comme les autres, ai-je répliqué. N'essaie pas de me rouler. Je t'ai vu parler au père de Derrick. Vous voulez tous me virer de l'équipe.

J'ai frappé du pied sur le sol.

— Vous n'aimez pas mon odeur… eh bien… je ne t'aime pas, ni Rasheed, ni les Rangers… ni Alisha. Je vous déteste tous, stupides Réglos !

Rick m'a jeté un regard empreint de sérieux.

— Je vais attendre que ton oncle arrive. Mais je ne comprends pas où tu es allé chercher cette idée que quelqu'un voulait te sortir de l'équipe. Personne ne veut une telle chose, je peux te le dire.

Je m'en fichais. Il n'y avait plus moyen de revenir en arrière. D'ailleurs, les Réglos mentent toujours. On ne peut pas leur faire confiance. Lewis me l'avait dit et je l'avais constaté moi-même d'innombrables fois. Ils vous promettent de l'argent qu'ils ne vous donnent jamais, ou bien ils vous attrapent dans les rues pour vous coller en détention juvénile.

— Je n'ai pas besoin de votre aide. Mon oncle m'attend au coin de la rue. Je l'ai appelé sur mon cellulaire.

Je voulais continuer, mais les mots m'ont manqué. Je leur ai donc tourné le dos et je suis parti. Jouer au hockey avec une bande de Réglos me paraissait soudain stupide. C'en était fini du hockey. Tant mieux ! La belle affaire !

Boule puante !

Crétins de Réglos !

23

Le soleil s'était couché et il commençait à faire vraiment froid. J'ai sauté du trottoir pour descendre la côte jusqu'à la Cave. Les idées bouillonnaient encore dans ma tête et j'avais du mal à mettre mes pensées en ordre. De plus, j'avais dû acheter un ticket de métro, ce qui était une dépense mal venue.

Pendant tout le trajet en métro, j'avais pensé au match, à ce que j'avais entendu dans le vestiaire et à ce que Rick m'avait dit. Je me suis rappelé un certain nombre d'occasions où j'aurais pu faire une passe à des joueurs ayant une ouverture. Le plus souvent, j'avais pensé que je pouvais faire mieux moi-même, et j'avais effectivement marqué deux buts. Oui, j'avais tendance à monopoliser la rondelle, je puais sans aucun doute, et mes vêtements étaient dégoûtants.

J'ai frappé selon le code et j'ai attendu. En vain. J'ai donc recommencé et, cette fois, la porte s'est entrouverte. Brachy a jeté un coup d'œil.

— La Souris est arrivé ! s'est-il exclamé en riant. Rigger veut te parler, et ça presse.

Il a tiré un peu plus le battant et je me suis glissé à l'intérieur.

— Qu'est-ce qu'il me veut ?

Tout ce que je voulais moi-même, c'était me rouler dans mon sac de couchage.

— Va lui demander, a fait Brachy avec un sourire en coin avant de se rasseoir sur sa chaise.

J'aurais perdu mon temps en le questionnant. Je me suis donc dirigé vers l'échelle. J'aurais dû laisser mes patins, mes gants et mon bâton dans ma cachette. Ce n'était vraiment pas pratique de les trimballer jusqu'en bas. Ces stupides patins me rentraient dans les côtes, et descendre une échelle avec des gants de hockey n'avait rien d'une partie de plaisir.

Rigger était étendu sur son fauteuil, une jambe passée par-dessus l'accoudoir, sirotant une boisson qui sentait le café. Il a tendu sa main ouverte.

— Aurais-tu de quoi payer ce que tu dois, la Souris ?

J'ai sorti cinquante cents de ma poche et les lui ai mis dans la main. Il a secoué la tête.

— C'est pas l'Armée du salut, ici. Tu me dois cinq dollars.

— Mais non ! Je te dois juste le loyer de cette nuit.

— Et l'équipement de hockey que tu as stocké ici sans m'en parler ?

Il a reposé son pied par terre.

— Je suis pas du genre à me laisser arnaquer. Tu paieras une surcharge pour ça. Alors c'est cinq dollars ou tu dégages.

Il a remis sa jambe sur l'accoudoir. Les miennes se sont mises à trembler. Je n'avais pas cette somme et, comme un imbécile, j'avais littéralement jeté deux dollars après le match.

— Je vais emprunter. Je peux entrer pour demander ? S'il te plaît. Donne-moi une seconde.

— Sûr, petite Souris, a-t-il fait en gloussant. Prends ton temps.

Je les détestais tellement, lui et son stupide fauteuil, et sa stupide Cave. C'était la journée des crétins.

Je me suis dépêché d'arriver à ma chambre. Jamais je n'avais été aussi content de voir Will et Rose. Will était adossé au mur et Rose était étendue sur le sol. J'ai fait comme si tout allait bien.

— Salut. Comment ça va ?

Rose m'a glissé un regard en biais, Will a croisé les bras. Aucun des deux n'a répondu à ma question. Ça m'a un peu agacé. J'ai toussé un peu pour me donner une contenance et j'ai décidé de leur demander franchement.

— Je suis un peu à court aujourd'hui pour Rigger. Vous savez comment il est. J'ai laissé mon équipement de hockey là-haut pour une nuit et maintenant il veut cinq dollars. Vous pouvez me les avancer ? Je vous rembourse demain, sûr.

Aucune réponse.

— Je ne vais plus jouer au hockey, j'aurai donc plein de temps pour ramasser de l'argent, et le froid est moins vif alors… pas de problème.

Je n'ai pas pu empêcher ma voix de trembler.

— Vous avez de quoi?

Rose m'a tourné le dos.

— Pourquoi tu ne demandes pas à ton copain Lewis? a dit Will.

J'avais l'impression qu'il se moquait de moi. Savait-il que Lewis et moi avions eu cette querelle?

— Je pourrais, c'est sûr. C'est juste que je pensais que... comme on est...

— Comme on est quoi, la Souris? a-t-il répliqué avec dureté.

— Comme on est amis et qu'on habite ici ensemble... Je vous ai acheté des trucs... et...

— Je n'ai pas envie de te faire crédit en ce moment. Peut-être que tu pourrais faire un retrait de ton compte en banque, ou demander à ton ami Lewis, ou même à J. J.

Rose s'est mise à rire. Une grosse boule s'est formée dans mon estomac. Les Rats de cave prêtaient toujours de l'argent pour le loyer. Là, Will était infect.

— En tout cas, ai-je rétorqué, ne me demande rien la prochaine fois que tu as besoin d'argent.

Le rire de Rose m'a énervé au plus haut point. Tout le monde avait l'air de blaguer, sauf moi, au moment même où la situation était sérieuse. Lewis était mon dernier espoir. Nous étions amis, même si nous avions eu un différend. Il s'était toujours montré attentif à mon égard, et cette somme n'était rien pour lui. De plus, il me devait réellement quelque chose pour les objets que j'avais volés.

Tandis que je repartais vers les « suites de luxe », j'ai croisé Creeper. Lui, il me devait de l'argent depuis au moins deux mois.

— Hé, Creeper ! comment ça va ?

— Ça va… comme n'importe quel autre jour de merde, a-t-il fait avec une grimace.

Il a fait mine de s'éloigner, mais je l'ai retenu par le bras.

— Tu peux me rendre les trois dollars que je t'ai prêtés ? Tu te souviens ? Je t'en ai prêté deux, et puis un autre plus tard. Ça fait trois.

— Je t'ai donné un ticket de métro.

— D'accord. Donc tu me dois 2,25 $.

— Non.

Le mot m'a fait l'effet d'une claque dans la figure.

— Tu me dois cet argent ! J'en ai besoin. Rigger est complètement nul, il veut que je le paie, sinon je ne peux pas rester ici ce soir.

— Alors, va-t'en, a-t-il fait en haussant les épaules.

Il a voulu repartir. Je lui ai de nouveau attrapé le bras, mais il m'a frappé à la poitrine et il s'est dégagé.

— Touche-moi encore et je te casse en deux.

— Qu'est-ce qui se passe avec vous tous ?

Ma voix tremblait et je ne pouvais plus contenir ce sentiment de panique qui me tordait l'estomac.

Creeper a levé les yeux vers le plafond, puis il s'est penché vers moi et il a murmuré :

— Tu es barré, la Souris. C'est Rigger qui l'a dit. Tu devrais ramasser tes affaires et t'en aller.

Là-dessus, il s'est dirigé vers sa chambre.

J'étais comme paralysé, je ne pouvais pas faire un mouvement et j'avais comme une bizarre envie de pisser. Le sentiment de panique avait envahi l'ensemble de mon corps. «Barré», ça voulait dire que Rigger me flanquait dehors pour de bon. Depuis que j'étais ici, ce n'était arrivé qu'à un seul garçon, qui avait été pris à voler dans les «suites de luxe». Moi, je n'avais rien fait.

J'avais besoin de Lewis.

Par chance, il se trouvait devant sa chambre en train de manger un sandwich. Je l'ai rejoint en courant.

— Lewis! Lewis! ai-je bégayé. Creeper m'a dit que Rigger voulait me ficher dehors. Sais-tu ce qui se passe? Je veux dire, je n'ai rien fait. Pourquoi est-ce qu'il me réclame cinq dollars alors que je ne lui dois pas un sou? J'ai juste laissé mon sac là-haut pour une nuit et il en fait toute une histoire. Je paierai, mais j'ai besoin qu'on m'avance l'argent, sinon je me retrouve à la rue.

Je crois que je pleurais, mais j'avais l'esprit tellement embrouillé que je n'en étais pas certain. Lewis ne m'a pas prêté la moindre attention et il a continué à manger son sandwich. J'ai attendu qu'il dise quelque chose, ce qui était pénible, car à présent j'avais réellement envie d'aller aux toilettes. Finalement, il a avalé sa bouchée.

— Alors, la Souris a besoin de l'aide de Lewis? C'est bien ça?

Je n'ai pu que hocher la tête.

— Et quand Lewis demande l'aide de la Souris, qu'est-ce qu'il dit, la Souris?

— Je t'aiderai quand tu voudras, ai-je articulé d'une voix faible.

— Tu m'as aidé ou non ? a-t-il fait en me collant son doigt sur la poitrine.

— J'ai été stupide, je l'avoue. J'étais fatigué d'avoir tant couru, et j'avais peur. Je te fais confiance. Je t'aiderai comme tu voudras. On peut… Tu as des paquets à livrer ? Ou on peut aller à la boutique d'électronique.

— Quelqu'un a pris ta place, la Souris. Mais je te remercie pour ton offre généreuse.

C'est alors que j'ai remarqué J. J. étendu sur le canapé de Lewis, me souriant comme une limace et ricanant comme tous les autres.

Il n'y avait plus rien à faire. Lewis m'avait trahi, tout ça parce que je n'avais pas voulu voler pour lui.

Je me suis dirigé lentement vers Rigger.

— Eh bien, on a réussi à emprunter de l'argent ? a-t-il fait, moqueur.

J'ai secoué la tête.

— Alors il est temps de partir.

— Je peux revenir demain avec l'argent ?

Je ne reconnaissais même plus ma voix.

— Tu n'es pas fiable, a-t-il répondu en bâillant. Je crois qu'il est temps pour toi de trouver un autre endroit pour dormir.

Ça y était. J'étais officiellement barré.

— Mais pourquoi ?

Il fallait que je sache. Rigger a eu l'air surpris.

— Lewis t'a introduit ici, et Lewis t'en a fait sortir.

L'endroit m'a brusquement semblé insupportable ; la seule vue de Rigger me remplissait de dégoût. Si seulement j'avais pu grandir d'un seul coup pour lui écraser la figure et m'asseoir sur son trône, et donner mes ordres à sa place ! Mais je n'avais que douze ans et il me faudrait attendre avant de grandir.

Je suis retourné à la chambre pour prendre mes affaires.

— Hé, Souriceau, Souriceau, Souriceau, a fait Fitzy d'une voix forte tandis que Happy D, comme à son habitude, gloussait comme un idiot.

Puis, comme si les choses pouvaient encore empirer, j'ai vu Will allongé sur mon sac de couchage avec ce sourire crétin de celui qui vient de gagner un million de dollars à la loterie.

— Je m'en vais, ai-je dit à Will et Rose. Je sais que vous trouvez ça drôle, mais Rigger m'a viré – ou bien c'est Lewis. Alors, riez, et riez bien, c'est encore mieux avec un sac de couchage.

Will s'est retourné comme s'il voulait dormir.

— Vraiment drôle. Rends-le-moi, maintenant.

Il n'a pas fait un geste. J'ai saisi l'extrémité du sac et j'ai commencé à le tirer vers moi. Will s'est relevé d'un seul coup et a attrapé mon poignet. Malgré mes efforts, je n'ai rien pu faire pour m'en dégager.

— Donne ce putain de sac au gamin, a grogné Rose, qui s'était redressée sur ses genoux.

Il a lâché mon poignet, mais pas le sac.

— Cesse de le torturer, a-t-elle crié. Pourquoi es-tu si méchant ?

— Pourquoi ? a-t-il répliqué en se tournant vers elle. Parce qu'on vit comme des putains d'animaux, dans un trou, et qu'on crève de froid à quêter dans les rues. Parce que je dois me cacher dans les rues pour ne pas me faire tuer par W5 et que je dois lécher le cul de ce con de Rigger chaque soir pour qu'il nous laisse entrer ici. Parce que j'aimerais bien dormir dans un vrai sac de couchage de temps en temps et manger à ma faim, et parce que je n'avais pas demandé à avoir un père qui boit comme un trou...

Rose pleurait en silence.

— Pourquoi je suis si méchant ? a repris Will. Ça s'appelle survivre, et je ne vois pas pourquoi moi je dois dormir dans un putain de sac épais comme une feuille de papier.

— C'est un gamin, a répondu Rose. Il va crever dehors sans son sac. Tu veux le tuer ?

— C'est le cadet de mes soucis, a craché Will.

Mais il s'est relevé et il m'a lancé le sac de couchage à la figure.

— Alors, t'es contente ? a-t-il grogné à l'intention de sa sœur.

Puis il a pris son propre sac dans un coin et il l'a étendu sur le sol. Je me suis tourné vers Rose et nos regards se sont croisés. On aurait dit que rien ne s'était passé. Elle s'est recouchée sans ajouter un mot.

Une minute plus tard, je grimpais l'échelle avec mes patins sur l'épaule, mon bâton à la main et le reste de mes affaires dans mon sac. Je ne sais pas pourquoi j'avais pris mon équipement de hockey. Sans doute parce que je ne voulais laisser aucune trace de moi ici.

Je me suis hissé jusqu'en haut avec peine, puis j'ai regardé en bas. Je détestais cet endroit. Will avait raison. Nous vivions comme des animaux.

Mais au moins, c'était un refuge. À présent, j'étais un sans-abri.

24

Je suis resté un moment à regarder par la vitre. Le S rouge de l'enseigne au néon de chez Baxter clignotait. Tant de choses s'étaient passées depuis que j'avais volé ces patins. C'était dur de penser que j'avais été bien alors. J'ai bâillé pour la centième fois de la journée. Je n'avais pas bien dormi la nuit dernière ; j'étais trop nerveux à l'idée qu'on me vole mes affaires, et un porche d'entrée n'était pas l'endroit le plus confortable pour dormir.

Le plus important était de manger. Je n'avais rien avalé depuis la veille, avant le match. C'était curieux de voir à quel point ce match avait été important et comme je pouvais m'en ficher à présent : j'avais des problèmes autrement plus urgents que de jouer au hockey avec une bande d'imbéciles. Il fallait absolument que je fasse un peu d'argent. J'ai marché un moment, puis je me suis arrêté en haut de la côte, à Cedarview Park, pour regarder des types évoluer sur la patinoire extérieure.

Soudain, j'ai reçu un coup violent au ventre, qui m'a coupé la respiration. Je suis tombé sur les genoux et une botte m'a écrasé les doigts. J'ai tenté de retirer ma main.

— Laisse-moi, laisse-moi, ai-je supplié.

Ce qu'il a fait. C'était W5 qui était là, me regardant de haut.

— Ce matin, j'ai rencontré le nouveau livreur de Lewis. J'imagine qu'on ne te verra plus dans le coin.

Il s'est penché au-dessus de moi et m'a frappé au visage. Il y a eu un goût de sang dans ma bouche.

— Et je suppose que Lewis n'est plus là pour te protéger. Pas que j'aie peur de lui, d'ailleurs, ce type est aussi nul que toi.

Il a émis un rire épais, puis il m'a donné un coup de pied dans les côtes. La douleur est remontée jusqu'au crâne, pour envahir ensuite tout mon corps. Je n'étais même plus capable de penser.

— Et le nouveau n'est pas assez idiot pour me chercher : il n'essaie pas de jouer au dur.

Il m'a tiré par les cheveux pour me redresser sur les genoux et il m'a flanqué un coup sur l'œil. J'avais trop mal pour pleurer.

— Tu crois que tu peux t'en tirer comme ça ? Tu le crois vraiment ?

— Je suis désolé. Je suis désolé. Je suis désolé.

W5 s'est mis à me singer et ceux de sa bande ont éclaté de rire.

— Voyons un peu comment roule cette pierre.

Je me suis retrouvé en train de dégringoler la pente raide, rebondissant sur la neige dure et gelée. Lorsque je me suis relevé, la joue me brûlait – j'avais dû l'écorcher dans ma chute – et j'étais complètement sonné.

— Amusez-vous bien, les gars, moi, je dois y aller, a dit W5 assez fort pour que je puisse l'entendre.

Il est parti. Scrunchy Face et trois autres me regardaient du haut de la côte.

— On te donne dix secondes d'avance avant de descendre pour t'apprendre le respect, a crié Scrunchy Face.

— Pourquoi cette avance? a demandé un de ses amis d'une voix forte.

Scrunchy Face a haussé les épaules avec exagération.

— Eh bien, allons-y.

Ils se sont lancés à ma poursuite. Je n'avais qu'une envie: me rouler en boule et pleurer, ce qui était loin d'être un bon plan. Je me suis donc élancé à travers le terrain, mais en un rien de temps ils m'avaient presque rattrapé, et le bruit de leurs pas sur la neige devenait de plus en plus fort.

— Regardez le petit courir.

— Il est tellement mignon.

— Pas la moindre cachette en vue, cette fois.

Ils avaient raison. Pas de conteneur à ordures où plonger. J'ai pensé que le vestiaire, en haut de la côte sur ma droite, était ma seule chance. Il y aurait peut-être quelqu'un. J'ai changé de direction et je me suis mis à grimper la pente, priant pour que je ne glisse pas.

À mi-chemin environ, j'ai mis le pied sur une plaque de glace et je me suis retrouvé sur les genoux. La douleur était atroce, mais j'avais trop peur pour m'y attarder. Je me suis mis à ramper vers le haut, ce qui était en fait plus efficace que de marcher, même si Scrunchy Face et ses acolytes trouvaient ça plutôt hilarant.

— Il a tellement la trouille qu'il se traîne comme un bébé.

— Tu veux qu'on change ta couche ?

Ils pouvaient bien rire, et mes genoux pouvaient me brûler, mais je suis arrivé au sommet avant eux. J'ai filé comme l'éclair à travers le stationnement et je me suis précipité dans le vestiaire.

Vide !

Je me suis liquéfié. J'étais là comme une statue de glace, au milieu de la pièce, pris au piège, sans aide ni témoin. J'ai cru que j'allais faire sur moi.

Scrunchy Face a ouvert la porte, les mains sur les genoux, essayant de reprendre son souffle.

— Cette petite course te vaudra dix coups dans la gueule, a-t-il dit.

Il s'est tourné vers ses copains.

— J'en ai assez de cette chasse au cloporte, a-t-il ajouté. Cassons-lui les jambes, il tiendra peut-être en place.

Ils se sont mis à ricaner comme des singes.

— Vous partez maintenant ou j'appelle la police.

Le concierge tenait son balai comme une épée et le pointait vers eux. Scrunchy Face a fait un pas en avant. Le concierge aussi.

Quelque chose dans l'attitude du concierge a poussé Scrunchy Face à reculer. Quelque chose de menaçant. Scrunchy Face s'est défilé vers la porte en disant :

— On continuera cette petite fête plus tard. On s'en reparle, la Souris.

Il a hoché la tête deux ou trois fois et ils sont tous sortis. Je les ai regardés descendre la côte et repartir dans le terrain vague.

— Ça fait longtemps que je ne t'ai pas vu, a dit le concierge.

— Je... oui, c'est ça... Enfin, j'ai joué dans une équipe et... je n'ai pas eu le temps de revenir m'entraîner ici... plus le temps.

— Tu joues bien. J'ai beaucoup joué au hockey quand j'étais jeune, en Union soviétique.

— Merci. Et merci de m'avoir sauvé de ces types. Ils... eh bien... ils ne m'aiment pas beaucoup.

Il s'est assis sur un banc et a penché la tête vers moi.

— Ça va ? Tu es blessé ?

— Ça va. Je me suis un peu égratigné les genoux, c'est tout. Ces types sont trop lents pour m'attraper, de toute façon.

— On dirait qu'ils t'ont quand même attrapé un peu, a-t-il dit en me fixant.

Il a dit ça d'une façon tellement drôle que je me suis mis à rire.

— Un peu, oui. Mais ça va maintenant. Merci encore.

J'ai jeté un coup d'œil dehors. Je n'ai vu ni Scrunchy Face ni ses complices.

— Il faut que j'y aille. Au revoir.

Il a hoché la tête et est retourné à son balai et à son seau. Je suis sorti. Je lui ai fait un signe de la main et il m'a répondu. Le claquement de la porte qui se refermait m'a mis mal à l'aise. J'étais de nouveau à la rue.

J'ai couru aussi vite que j'ai pu pour m'éloigner de Scrunchy Face et de sa bande, ignorant la brûlure à mes genoux. J'ai couru jusqu'à ce que mes poumons soient au bord de l'explosion, jusqu'à perdre haleine, jusqu'à en être malade, jusqu'à ce que je sois assez fatigué pour oublier ce qui s'était passé.

Mais je ne me suis pas arrêté. Je savais que, si je m'arrêtais, tout me reviendrait.

25

Plus tard dans l'après-midi, je mendiais dans un parc à l'ouest de la ville. Ça n'avait pas été terrible : seulement 2,50 $. Je n'avais pas l'air très propre et je faisais sans doute peur aux gens. Lewis m'avait toujours dit que les Réglos étaient effrayés par les sans-abri vraiment sales.

Il commençait à faire sombre et je n'avais encore rien mangé. Vers cette heure-ci, d'habitude, W5 et sa bande traînaient du côté des studios de télé. Je me suis donc dit que je pourrais sans danger aller m'acheter quelques *buns* chinois. Je devais prendre mon sac de couchage au théâtre, de toute façon. Tout en marchant, je me suis réjoui en me disant que je n'avais pas besoin de mettre cinquante cents de côté pour la nuit et que je pourrais m'offrir un *bun* de plus. C'était l'avantage d'avoir été expulsé.

Même s'il ne faisait plus aussi froid, je frissonnais d'avoir passé la journée dehors. Le vent, qui s'était levé, n'arrangeait rien. Pour ajouter à mon malheur, ma tête n'allait pas très bien non plus et je ne voyais pas grand-chose de l'œil que m'avait poché W5. Mon pantalon était taché de sang et mes genoux me faisaient mal parce que le tissu frottait sur les blessures à chaque pas.

J'avais trop faim pour me préoccuper de mon apparence, et j'ai posé un dollar sur le comptoir.

— Deux *buns* au coco, s'il vous plaît.

Winston s'est penché par-dessus le comptoir.

— Qu'est-ce qui est arrivé à ton œil ?

Est-ce que c'était si moche que ça ?

— Je suis tombé. Je peux avoir deux *buns*, s'il vous plaît ?

— Tu devrais faire attention. Ce bleu autour de l'œil. Très dangereux.

Le parfum du magasin me torturait l'estomac. J'ai montré les *buns*. Winston a émis un grognement et en a mis quatre dans un sac.

— Deux de plus aujourd'hui. Gratuit.

Il a laissé tomber mon dollar dans le tiroir-caisse, puis il a ri. Je l'ai dévisagé, bouche bée. Il riait vraiment.

J'avais gagné le défi – pour ce que ça valait.

Ce moment a été gâché par l'irruption de Will, Rose et J. J.

Rose a ouvert de grands yeux.

— Tu t'es fait passer dessus par un camion, la Souris ?

C'était leur faute. S'ils m'avaient donné les cinq dollars, j'aurais été en sécurité à la Cave. Si J. J. ne m'avait pas entraîné vers les studios de télé, W5 ne me serait pas tombé dessus cette fois-là. Et je ne serais pas un sans-abri à présent.

— C'est la chose la plus stupide que j'aie jamais entendue. Comme si j'étais vraiment entré dans un camion ! Toi, tu es aussi bête qu'un camion.

Puis j'ai pensé à quelque chose de plus méchant.

— Et toi, qu'est-ce qui est arrivé à ta figure ? Oh, c'est vrai. J'oubliais. C'est de naissance.

Rose a rougi comme si elle avait reçu une claque.

— Je te demandais juste si tu étais blessé, c'est tout.

— Fais attention à ce que tu dis, a menacé Will. Tu n'as plus Lewis pour te protéger, maintenant.

C'en était trop. Mon poing est parti et l'a frappé en plein sur le nez. Il est tombé à genoux, son sang coulant sur le plancher.

— Sortez immédiatement ! a crié Winston. Sortez et ne revenez plus.

J'ai poussé J. J. de côté, j'ai jeté un coup d'œil à Rose, et je suis parti. Le temps d'arriver au théâtre, j'avais avalé les quatre *buns*, autant à cause de ma faim que de ma colère. Toutes mes affaires étaient en sécurité, au moins, et je me suis calmé. Frapper Will m'avait fait du bien sur le coup, mais maintenant ma main droite commençait à m'élancer. Y avait-il une partie de mon corps qui ne me fasse pas mal ?

J'ai attrapé mon sac de couchage. Je n'étais pas très chaud à l'idée de retourner dormir dans le porche d'entrée, le vent n'avait pas cessé et il faisait plutôt frais. Je me suis tapi au coin de la rue pour regarder si

W5, Scrunchy Face ou Will étaient en vue. Lewis m'avait appris ce truc. Les gens ne remarquent pas ce qui se trouve trop bas.

Lewis! Qu'est-ce qu'il savait, de toute façon, cet imbécile de traître? J'étais heureux de ne plus rien avoir à faire avec lui.

Mes genoux me faisaient vraiment souffrir, et je ne voyais presque plus rien de mon œil enflé. J'aurais tué pour pouvoir m'allonger et dormir, mais ce n'est pas si facile de trouver un endroit sûr dans une grande ville. Il y avait des gens partout, des voitures et du bruit. J'ai traversé l'avenue Macdonald et me suis dirigé vers le lac. J'avais entendu parler d'un parc où les sans-abri allaient dormir. Ça me tracassait, pourtant. Personne là-bas ne me connaissait et c'était peut-être dangereux, mais ça valait quand même mieux que de traîner dans les rues toute la nuit.

Tout à coup, j'ai entendu le grondement du métro sous mes pieds et le sol a légèrement vibré tandis qu'un courant d'air chaud me montait au visage. Sans m'en rendre compte, j'étais arrivé aux grilles d'aération, l'endroit parfait pour dormir. Quelques personnes passaient non loin de là, mais je m'en fichais. Il n'y avait pas d'ivrognes aux alentours, il était probablement encore trop tôt pour eux. Je pourrais dormir une heure ici avant d'aller voir au parc. Je me suis glissé dans mon sac de couchage et j'ai rabattu la capuche par-dessus ma tête.

C'est ma joue qui a frappé le sol en premier, mais ce sont mes genoux, écrasés contre la grille métallique, qui m'ont fait le plus mal. J'ai hurlé sans comprendre ce qui se passait.

— C'est un gamin, a dit quelqu'un d'une voix pâteuse.

— Qu'est-ce qu'un gamin fait ici ? a demandé son ami.

— Je vais lui apprendre à avoir un peu de respect pour les aînés, a maugréé l'autre de sa voix cassée.

J'ai cligné des yeux plusieurs fois. J'ai pu distinguer deux hommes qui me dévisageaient. L'un avait agrippé mon sac de couchage. Ils m'avaient soulevé et fait basculer comme un tas de détritus. J'ai bondi sur mes pieds.

Celui qui tenait mon sac de couchage s'est avancé vers moi. Il était tellement soûl qu'il n'était pas rapide, et je me suis facilement mis hors de portée. J'ai saisi mon sac et l'ai tiré vers moi.

— Donne-moi ça, ai-je dit. C'est à moi.

— Non, a-t-il grommelé en tirant à son tour.

Celui qui avait du mal à articuler m'a foncé dessus et m'a jeté par terre. J'ai atterri sur la hanche.

— C'est notre grille ! a-t-il crié. Va crever plus loin, espèce de…

Il a eu un hoquet et a cligné des yeux à plusieurs reprises.

— Va crever plus loin, a-t-il répété.

Je me suis relevé. Aucun des deux n'avait l'air bien stable sur ses jambes. Je me suis donc avancé et j'ai tenté de leur arracher le sac d'un coup sec. J'y étais presque parvenu quand le type a complètement tourné sur lui-même, enroulant ainsi le sac autour de lui avant de se laisser tomber comme une bûche. J'ai continué de tirer, mais j'aurais aussi bien pu essayer de déplacer un arbre.

Son compagnon a grogné et m'a donné un coup de pied. Heureusement, ce crétin a raté son coup, il a vacillé sur sa jambe et il s'est effondré sur son copain. Les deux étaient donc maintenant allongés sur mon sac de couchage.

— Enlève-toi de sur moi, gros lard, a maugréé le premier.

L'autre s'est mis à rire, a glissé sur le côté et les deux ont continué de ricaner comme des hyènes, comme s'ils avaient oublié ma présence. Ils se sont endormis, tout enchevêtrés dans mon sac de couchage. Je n'ai pu m'empêcher de rire aussi, même si le désastre était complet : mon sac avait été kidnappé par deux ivrognes. J'ai encore essayé de le leur arracher, mais en vain.

Les choses n'étaient plus drôles du tout, à présent. Ces soûlards pouvaient s'endormir instantanément comme s'ils n'avaient pas le moindre souci. Moi, j'en avais à revendre. Tellement que j'en avais mal au ventre. Cette sensation était en train de devenir ma meilleure amie : elle ne me quittait plus.

J'étais mal pris. Il fallait vraiment que je dorme, dans un endroit sûr et à l'abri de ce vent, sinon... eh bien, je n'étais pas sûr d'y arriver. La situation était pire que lorsque j'avais échoué dans la rue, après la mort de ma mère et la défection de Ron, car nous étions en hiver. Aujourd'hui, je comprenais vraiment ce que ça signifiait d'être à la rue, seul et sans sac de couchage, avec nulle part où aller.

On ne peut pas survivre dans ces conditions. On ne peut pas.

26

Je me sentais mal et j'avais la tête qui tournait, peut-être parce que j'avais erré pendant des heures. Ça ne servait à rien d'attendre que ces abrutis d'ivrognes lâchent leur prise, et j'ai donc décidé d'aller voir ce qu'il en était du parc. Quelques sans-abri étaient pelotonnés sous un bâtiment ouvert. Tous avaient un sac de couchage. Je ne me voyais pas me joindre à eux, je suis donc reparti.

J'ai changé de plan. Mon idée était de trouver un garage ouvert et de m'y glisser. Je n'ai pas trouvé mieux. Je me disais que, une fois à l'abri du vent, les choses n'iraient pas si mal ; et que peut-être même je trouverais une couverture. Je me suis dirigé vers la ruelle proche de la patinoire. C'était une succession de garages, et l'un d'entre eux était peut-être ouvert.

Je savais que c'était risqué, mais tant pis. J'y penserais demain. Enfin, demain…

J'ai commencé à tirer les poignées une par une. En vain. J'ai même essayé d'en faire tourner une si fort que je crois que je l'ai cassée. L'une après l'autre : fermée, fermée, fermée. Je suis arrivé au dernier garage. Encore fermé ! Je suis tombé à genoux. J'étais si fatigué. C'était comme si quelqu'un s'était mis en tête de me tuer.

Que faire maintenant ? Je pouvais essayer d'autres garages, mais je ne connaissais aucune autre ruelle comme celle-ci, où on pouvait accéder aux garages sans passer par les cours arrière. « Réfléchis, Jonathon, réfléchis… » Mais, je ne sais pas pourquoi, mon cerveau était hors service. Ou il était mort. Ou gelé. Que faire ? La question m'obsédait mais je n'avais pas la réponse. C'était dingue. Des maisons partout, mais inaccessibles. On ne voulait pas de moi. C'était injuste. Pourquoi Rigger régnait-il ainsi sur la Cave ? Elle n'appartenait à personne. Elle aurait dû être à moi. Pourquoi pas ?

Rigger était un con. Et Lewis aussi.

Et Will.

Et Rose.

Et J. J.

Et Creeper, Happy D, Fitzy, Skidder, W5, Scrunchy Face, et les ivrognes.

Et Lou et Malcolm.

Et Peter, Derrick, Andrew, Collin, Rasheed…

Rasheed ! Il vivait dans le coin, et il y avait un grand garage à l'arrière de sa maison. Je l'avais vu quand j'avais aidé Rasheed à prendre son équipement : il n'était même pas rattaché à la maison. Personne n'y remarquerait ma présence. Je pouvais m'y introduire et en repartir avant leur réveil.

Je me suis senti plus léger et il m'a semblé qu'une minute à peine s'était écoulée avant que je ne repère la maison, un peu plus loin. C'est curieux comme une bonne idée peut donner de l'énergie. Les lumières de la maison étaient éteintes – ce qui n'était pas surprenant, car il devait être assez tard –, mais ça m'arrangeait qu'ils soient tous endormis.

Lorsque je suis arrivé tout près, je me suis accroupi derrière la longue haie qui séparait la maison de Rasheed de celle de son voisin, et j'ai avancé le long de l'allée, voûté au maximum, serrant mon sac contre la haie. Après un dernier coup d'œil – rien n'avait bougé dans la maison –, je suis passé devant le perron et j'ai foncé vers le garage.

J'ai tourné la poignée de la porte, priant pour qu'elle ne soit pas verrouillée. Bingo! La porte s'est ouverte. Elle a grincé un peu. Je l'ai relevée juste ce qu'il fallait pour que je puisse me glisser par-dessous, puis je l'ai refermée. Une fois à l'intérieur, j'ai allumé. Il n'y avait pas de fenêtre, mais j'étais nerveux quand même. J'ai rapidement inspecté les étagères pour y chercher de quoi me coucher.

Sur la droite s'alignaient les choses les plus belles que j'avais jamais vues : un équipement complet de camping, rangé bien en ordre. Glacières, tentes, fauteuils, et tout un assortiment de sacs de couchage. J'en ai attrapé un gris et un rouge, puis j'ai repéré quelques matelas. J'en ai pris un que j'ai étalé sur le sol. Sans doute ma chance n'avait-elle pas si mal tourné. Je n'avais pas eu de quoi dormir si confortablement depuis une éternité. C'était presque aussi bien que le canapé de Lewis, et le sac de couchage était du même type que celui que j'avais déjà volé à Rasheed.

Crétins d'ivrognes! Je leur souhaitais d'étouffer dedans!

Le garage émettait des craquements à cause des rafales. C'était si bon de ne plus être dehors. Ça me faisait drôle au visage de ne plus ressentir constamment l'agression du vent. J'étais si fatigué que j'en étais tout étourdi. Les bras et les jambes me picotaient. Tandis que je fermais les yeux, le visage de maman est apparu dans ma tête. Ça arrivait quelquefois, sans prévenir. Ça pouvait être le matin, ou en marchant, mais la plupart du temps c'était au moment où je m'endormais. Cette fois elle souriait et ses cheveux étaient bien coiffés, comme quand elle se faisait belle pour sortir. Je me suis demandé si elle me voyait de là-haut.

J'espérais que non. Je crois qu'elle aurait été triste de me voir dans cet état.

J'étais en train de rêver que je me trouvais dans une forêt avec de grands arbres, et il y avait des voix tout autour de moi, des voix enfantines qui babillaient. Soudain, de gros nuages sont apparus et un coup de tonnerre a retenti en même temps qu'un éclair jaillissait; non, pas exactement un éclair, c'était plutôt comme si le soleil s'était levé brusquement pour inonder le monde de lumière, même si tout était devenu brumeux et que je ne voyais plus rien. Puis j'ai entendu un cri et mon cœur s'est emballé dans ma poitrine. Je me suis redressé et j'ai regardé autour de moi, un peu hébété, car le rêve m'avait paru si réel qu'il m'a fallu un bon moment avant de me rendre compte que je ne me trouvais pas dans une forêt.

Le brouillard a disparu. Rasheed et Alisha étaient en train de me dévisager, et j'ai compris ce qui s'était passé. Les voix que j'avais entendues étaient les leurs, le coup de tonnerre, l'ouverture de la porte du garage, et la lumière signifiait que j'avais dormi trop longtemps. Le jour s'était levé. J'étais pris au piège et, tout enveloppé dans le sac de couchage, je ne pouvais même pas me sauver.

Alisha a parlé la première, et sa voix m'a vraiment fait paniquer, car elle tremblait et était déformée par la peur.

— Qu'est-ce qui t'est arrivé, Jonathon ? Tu es blessé ?

La question était bizarre. Elle me trouvait en train de dormir dans son garage et la première chose qu'elle voulait savoir, c'était si j'étais blessé.

Rasheed a continué.

— Pourquoi tu n'es pas chez toi ?

J'ai remarqué le sac de couchage rouge, qui se trouvait toujours dans sa housse de nylon. J'en avais besoin. Sans répondre, je me suis extirpé du sac gris, j'ai attrapé le rouge et je me suis redressé sur mes genoux.

— Dis quelque chose, Jonathon, a fait Alisha d'un ton implorant. Qu'est-ce qui se passe ?

Elle était complètement bouleversée, comme si elle s'était trouvée en face d'un Martien ou je ne sais quoi, et ses yeux étaient humides. Elle ne pleurait pas mais ses yeux étaient remplis d'eau. Il me fallait dire quelque chose. D'ailleurs, je me sentais toujours détestable pour la manière dont j'avais crié après elle après avoir quitté l'équipe.

— Ne t'inquiète pas pour moi, ai-je dit en essayant de paraître le plus calme possible. Fais comme si je n'étais pas là. Je ne vais plus vous ennuyer. Je suis désolé, mais je dois prendre ça ou je vais mourir.

J'ai désigné le sac de couchage rouge.

— Je le rapporterai quand il fera plus chaud ou quand j'en trouverai un autre, c'est promis. Je dois partir, maintenant, ai-je ajouté en tentant d'imiter un dur de dur. N'essaie pas de m'en empêcher. Je te préviens.

Rasheed a tendu la main.

— Calme-toi, Jonathon. Dis-nous ce qui s'est passé, on peut t'aider, peut-être.

Ils me faisaient rire. Comme s'ils pouvaient me faire réintégrer la Cave ou s'occuper de W5, ou me donner de l'argent chaque jour pour manger.

— Pourquoi t'es-tu sauvé de chez toi? a demandé Alisha.

La réponse est sortie de ma bouche malgré moi.

— Chez moi? De quel chez-moi parles-tu? Je n'ai pas de chez-moi.

Voilà. À présent, ils savaient que j'étais un sans-abri.

— Mais ta maison, près de la gare? Est-ce que… est-ce qu'il lui est arrivé quelque chose? a bégayé Rasheed.

Ces deux-là étaient vraiment trop bêtes.

— Je n'habite pas là, ai-je laissé tomber avec dégoût. C'est ce que je vous ai raconté.

J'ai regardé Alisha droit dans les yeux.

— Je n'ai pas de maison. Je vis dans la rue. Depuis toujours, même quand vous m'avez rencontré.

Alisha en a eu le souffle coupé. Elle a mis sa main devant sa bouche. Rasheed était figé comme une statue. C'est lui qui a repris la parole.

— Tu t'es fait frapper ? a-t-il demandé en désignant mon visage. Et qu'est-ce qui est arrivé à tes vêtements ? Est-ce que tu… est-ce que ça va ?

Je n'osais imaginer de quoi je pouvais avoir l'air avec un œil au beurre noir, un pantalon déchiré, du sang partout, et sale comme un cochon. Effectivement, Boule puante était un nom qui m'allait bien. J'avais dormi dans une poubelle, je sentais la poubelle, j'avais l'air d'une poubelle… et c'est ce que j'étais vraiment.

— Allons dans la maison, Jonathon, a dit Alisha, dont les yeux étaient toujours humides. Manger quelque chose te ferait du bien. Papa et maman sont là et ils sauront quoi faire. Tu ne peux pas vivre dans les rues. C'est… impossible. Viens à l'intérieur et mange au moins un morceau.

Qu'elle ait parlé de ses parents a fait renaître ma méfiance.

— Mauvaise idée. Vraiment mauvaise. Oublie ça.

J'ai fermement agrippé le sac de couchage.

— J'ai perdu le mien et j'ai besoin de celui-là. Je vous l'ai dit : je vous le rapporterai.

J'ai inspiré profondément et me suis préparé à foncer.

— Je vous ai dit de vous dépêcher ! Qu'est-ce que vous fabriquez depuis tout ce temps ?

Le père de Rasheed est entré dans le garage.

— Jonathon ?

J'étais fait comme un rat. Je ne pouvais pas piétiner Rasheed et son père. Quand ils découvriraient que j'avais volé leur sac de couchage et les patins, ils me feraient arrêter, c'est sûr.

J'ai fermé les yeux en espérant que ma mère ne me voyait pas.

27

J'ai incliné le bol jusqu'à ce qu'il ne reste plus une goutte de soupe. Je n'avais pas mangé de soupe depuis une éternité, depuis que ma mère était tombée malade, ce qui me semblait remonter à un million d'années, et mon corps en a été réchauffé jusqu'aux orteils. C'était mon troisième bol, et j'avais pourtant avalé deux sandwichs au beurre de pinottes auparavant. Je savais que j'avais l'air d'un porc, mais c'était si bon que je ne pouvais pas m'arrêter. Le meilleur, c'était le lait. J'en avais oublié jusqu'au goût, et ils continuaient de remplir mon verre.

Honnêtement, j'aurais encore pu prendre un autre bol de soupe.

— Seigneur, tu avais vraiment faim ! a dit Cynthia.

Pendant tout le temps que je mangeais, j'avais à peine levé le nez de mon bol. Maintenant, avec ces quatre personnes qui me dévisageaient de l'autre côté de la table, il fallait bien que je dise quelque chose.

— Je suis désolé. Je n'ai mangé que quelques *buns* hier. Je crois que j'avais faim, j'ai marché toute la nuit… cherché un endroit où dormir… et je ne sais pas pourquoi, mais je… j'avais vraiment faim, c'est tout. Je me sens mieux à présent ; merci pour la nourriture.

Les yeux de Cynthia se sont remplis de tristesse. Elle ressemblait beaucoup à Alisha. Rick s'est éclairci la gorge.

— Jonathon, comment peut-on t'aider ?

Ils avaient toujours des questions bizarres.

— Eh bien, je pense… vous pourriez…

J'allais leur demander de me laisser partir, mais je savais qu'ils n'en feraient rien ; pas après ce que j'avais fait.

— Je n'ai besoin de rien, ai-je dit, très calme. Vous pouvez appeler la police.

Cynthia a posé sa main sur mon bras.

— Pourquoi devrions-nous appeler la police, mon petit ?

Ça m'a bouleversé de l'entendre dire « mon petit » parce que c'est ainsi que ma mère m'appelait. Ma gorge s'est nouée et je n'ai pas pu parler.

— Jonathon, s'il te plaît, dis-nous pourquoi tu étais dans notre garage, a demandé Cynthia avec douceur. Et qu'est-ce qui est arrivé à ton œil ?

Tous étaient calmes, attendant que je réponde. C'est donc ce que j'ai fait. Je crois que j'ai parlé pendant des heures – enfin, vraiment très longtemps. Je leur ai parlé de ma mère, et de Ron qui était parti. Je leur ai tout dit de la Cave, de Rigger, de Lewis, de tous les autres : W5, Will, Rose et J. J., et de la manière dont on m'avait mis à la porte. Je leur ai même expliqué comment j'avais volé les patins.

— Alors tu ne faisais que t'exercer à la patinoire quand je t'ai vu ? a demandé Rasheed.

— Je n'avais rien d'autre à faire.

— C'est renversant, a dit Rick quand j'en ai eu terminé. J'ai eu le sentiment que tu n'étais pas tout à fait sincère avec nous, et je voyais bien d'après tes vêtements que tu avais des problèmes d'argent. Mais je n'aurais jamais pensé... C'est l'histoire la plus incroyable que j'aie jamais entendue.

— Tu peux terminer la soupe, a dit Cynthia en la versant dans mon bol. Il n'en reste presque plus, de toute façon.

— Est-ce qu'on ne devrait pas mettre de la glace sur son œil ? a demandé Alisha.

— Bonne idée, Ali, a dit Rasheed. Je vais en chercher.

Alisha s'est assise près de moi tandis que je finissais ma soupe, puis elle a placé la glace sur mon œil. Je n'ai pas compris pourquoi, mais Rasheed a fait tout un plat pour la piler et la mettre dans un sac en plastique. Ça m'a piqué, au début, puis je me suis senti mieux. C'était un moment de tranquillité, nous tous assis autour de la table. Ils étaient si gentils avec moi, ils m'avaient donné à manger et il était clair qu'ils n'appelleraient pas la police. Les grands yeux d'Alisha étaient remplis de tristesse. J'avais encore une confession à faire.

— J'ai fait quelque chose, ai-je commencé. Quelque chose de mal. À vous…

J'ai pris une profonde inspiration avant de murmurer :

— J'ai volé un sac de couchage dans votre voiture, après le premier entraînement.

— Ça ira, a dit Alisha. On peut comprendre. Tu en as bien plus besoin que nous, de toute façon.

— Et on n'ira pas camper avant l'été, alors c'est pas grave, a ajouté Rasheed.

J'ai levé les yeux vers Rick.

— Mais je l'ai perdu. Deux ivrognes me l'ont volé la nuit dernière. Je ne crois pas que je puisse le récupérer.

Je leur ai raconté ce qui s'était passé et, lorsque j'ai eu terminé mon récit, Rasheed et son père n'ont pas pu se retenir de rire. Je devais vraiment être drôle, j'imagine.

Alisha s'est fâchée, néanmoins.

— Ça n'a rien de comique ! leur a-t-elle lancé. C'est aberrant qu'on ne puisse pas s'occuper des gens et qu'ils soient obligés de vivre dans la rue ; Jonathon est un enfant et il ne devrait pas avoir à… se battre chaque jour rien que pour manger.

— Voici sainte Alisha, m'a dit Rasheed. Elle va sauver le monde. Elle est engagée chaque matin dans le programme de petits déjeuners à l'école et elle fait du bénévolat au refuge des femmes.

— Tu es tellement égoïste, Rasheed !

Rick a levé les mains.

— Ça suffit, vous deux. Alisha a raison, cependant. Ce n'est pas drôle, même si j'avoue que lorsque j'imagine ces deux soûlards empêtrés dans ce vieux sac de couchage...

Rasheed et lui se sont remis à pouffer, puis Alisha s'est lâchée à son tour et nous avons tous ri ensemble.

— Un peu de tenue, vous tous, est intervenue Cynthia, mais sur un ton amical. Jonathon, nous ne savons pas de quelle manière, mais nous voulons t'aider, si tu le veux bien. C'est d'accord, Rick ?

Rick a hoché la tête avec sérieux.

— J'imagine qu'il n'est pas facile pour toi de faire confiance aux gens après ce que tu as vécu, a-t-elle repris. Nous ne pouvons pas promettre n'importe quoi, mais je te garantis que tu ne dormiras plus une seule nuit dans les rues. Nous te promettons également de ne pas appeler la police. Je prendrai contact avec quelques connaissances qui savent comment s'occuper des jeunes qui n'ont pas de foyer. Ces gens-là travaillent pour le gouvernement. C'est d'accord ?

Je savais ce que signifiait « les gens qui travaillent pour le gouvernement ». Aussitôt qu'ils auraient entendu parler de l'affaire de la boutique d'électronique, des patins et du sac de couchage, ils me feraient coller en détention juvénile. Elle m'avait promis qu'elle n'appellerait pas la police, cependant, et si je jouais le jeu j'aurais au moins à manger et je pourrais filer à la moindre occasion. Et je savais où se trouvaient les sacs de couchage.

— Alors, c'est d'accord ? a-t-elle répété.

— Oui. Merci. C'est vraiment gentil de votre part.

Là-dessus, ils m'ont tous souri.

28

Aussitôt que j'ai entendu la porte d'entrée se refermer, j'ai passé la tête par celle de la chambre. Il avait été question d'une sorte d'événement familial, une réception de mariage chez un cousin de Cynthia ou quelque chose comme ça. Rick m'avait dit qu'ils reviendraient très vite.

— On va juste faire acte de présence.

Bon, ça me donnait du temps. Plus j'y pensais, plus ça me semblait ridicule. Comme si j'allais attendre que la mère de Rasheed appelle les agents du gouvernement! Peut-être qu'elle recevrait une prime pour me livrer. Pourquoi voulait-elle m'aider, d'abord? Et pourquoi insister sur le fait de faire confiance? Ça cachait quelque chose. C'était exactement ce que j'aurais dit à quelqu'un que j'aurais essayé de tromper. Personne ne m'avait jamais aidé.

Le lit me manquerait, pourtant. Son moelleux était incroyable. Quel sommeil! Je n'en revenais pas d'avoir dormi aussi longtemps. Il faisait sombre, dehors, ce qui voulait dire que j'avais dû ronfler toute la journée. Enfin, mes idées étaient en ordre, mon mal de tête avait cessé et je pouvais voir des deux yeux. Le coup de la glace, ça marche vraiment.

J'ai descendu l'escalier jusqu'à la cuisine et j'ai ouvert le frigo. J'ai dû reculer d'un pas pour pouvoir tout voir. Je ne me souvenais pas avoir vu autant de nourriture au même endroit, à part dans les supermarchés : fruits, lait, fromage, yogourts, légumes, contenants remplis de restes, bocaux, boissons. J'ai fixé mon choix sur le poulet, le fromage et le yogourt. Puis j'ai cherché un sac en plastique pour emporter le tout.

— Les assiettes sont dans le placard à droite de l'évier, et les couverts sont dans le tiroir du haut.

J'ai failli laisser tomber la nourriture, et mon cœur a fait des bonds dans ma poitrine. Alisha était en train de lire un livre, assise près de la table. Elle souriait et me désignait les placards. Trop abasourdi pour réfléchir, j'ai attrapé une assiette, une cuillère et un peu de sel, même si je n'avais rien à saler, et je me suis assis près d'elle.

— Tu dois te sentir mieux, après cette sieste, non ?

J'ai hoché la tête et j'ai mordu dans le poulet.

— Ton œil a meilleure apparence, après l'application de la glace, a-t-elle fait en riant doucement. Le poulet et le yogourt, c'est une combinaison intéressante. C'est une de tes recettes préférées ?

— Pas sûr. Mais ça fera l'affaire.

— J'ai réfléchi à ce que tu as vécu. Ce W5 doit être un triste personnage, qui joue tout le temps au dur et use de violence. Je suis persuadée qu'au fond, il manque d'assurance et il a peur.

W5 ne me faisait pas l'effet d'un gars effrayé, mais je ne voulais pas la contredire. Mieux valait changer de sujet. J'ai posé la première question qui m'est passée par la tête :

— Qu'est-ce que tu es en train de lire ?

Je pouvais être tellement nul.

— C'est un très bon livre. *L'Attrape-cœur*. En fait, je le relis. Je suis sûre que tu l'aimerais. Je te le prêterai quand je l'aurai terminé.

— Ce serait… une bonne idée. Il a l'air intéressant.

Elle a rigolé un peu.

— Mais je ne t'ai pas encore dit de quoi ça parle.

Je me suis senti rougir.

— Oh, oui. Mais je te fais confiance.

— Vraiment ? a-t-elle fait en ouvrant grand les yeux.

Et j'étais sur le point de la voler ! Elle, ou du moins sa famille.

C'était une véritable torture. J'avais besoin de ce sac de couchage, et pourtant je jure que je pouvais entendre la voix de ma mère dans ma tête. Elle ne serait pas contente si elle savait ce que j'étais en train de mijoter.

— Oui, vraiment.

Le nœud dans ma gorge avait refait surface. C'était comme si je ne pouvais pas lui mentir, pas à elle, qui me regardait avec de si grands yeux et me traitait avec douceur. Dans un murmure, je lui ai demandé :

— Et toi, tu me fais confiance ?

— Bien sûr, a-t-elle dit en redressant la tête. Pourquoi pas ?

— Parce que je suis un délinquant… J'ai volé des choses, tout plein, même à toi et à ta famille, et je mens tout le temps… et… je… j'étais sur le point de voler cette nourriture, d'aller voler le sac de couchage et de me sauver dans le parc.

Cette fois, elle allait me haïr. Je ne sais pas pourquoi je lui avais dit tout ça, mais ça m'avait soulagé et, d'une certaine façon, je savais que ma mère serait fière de cet aveu.

— Tu n'es pas un délinquant. Tu as dû voler pour survivre. Il te faut manger, avoir un abri, rester au chaud.

Elle avait l'air si sûre d'elle.

— Jonathon, tu dois faire la paix avec toi-même et partir sur de nouvelles bases. Tu as besoin d'un nouveau départ. Alors répète après moi : « Je suis quelqu'un de bien. »

J'ai écarquillé les yeux.

— Répète, a-t-elle ordonné.

— Mais c'est idiot.

— Pas du tout. Dis-le simplement comme tu le sens.

Je me suis tu : les mots butaient sur le bout de ma langue, ils y restaient coincés, malgré mes efforts pour les faire sortir.

— Je peux le dire pour toi. Je crois que tu es quelqu'un de bien. Je le crois vraiment. Je l'ai pensé dès la première fois que je t'ai vu.

C'était la plus belle chose qu'on m'ait jamais dite.

La porte arrière s'est ouverte et Rasheed est entré.

— Je croyais que vous étiez sortis, ai-je dit.

— Papa et maman préféraient qu'on reste avec toi, a répondu Rasheed avec un geste de la main. Ils ne vont pas tarder. Vous voulez regarder un film ?

Il tenait quelques DVD à la main.

— Sûr, a dit Alisha. On va en bas, Jonathon.

Je les ai suivis au sous-sol. Dans l'escalier, Rasheed s'est retourné.

— J'ai parlé à Lou pendant que tu dormais – et quand tu dors, c'est pour de bon ! Je crois que tu as fait un tour d'horloge. En tout cas, devine quoi ?

J'ai secoué la tête.

— Tous les gars veulent que tu reviennes. On a un match demain contre les Red Wings. On s'est fait blanchir pour les deux premiers matchs et si on perd encore, on est hors course. Avec toi, on peut au moins leur donner du fil à retordre. Tu es partant ?

— Je ne sais pas. Je veux dire, je ne crois pas que ce soit une bonne idée...

J'aurais vraiment trop honte. Comment pourrais-je entrer dans un vestiaire avec une bande de gars qui m'appelaient Boule puante ? C'était impossible. Puis j'ai commencé à me demander si tout ça n'était pas de la folie. C'étaient des Réglos, mais je vivais chez eux, je mangeais avec eux et je ne pensais pas qu'ils me feraient interner. J'aurais aimé savoir quoi faire. Mais je n'avais personne à qui demander.

Rasheed a ri et m'a poussé par l'épaule.

— Tous les gars comprennent ce qui s'est passé, tout est OK. Crois-moi. On veut tous que tu reviennes dans l'équipe, y compris les entraîneurs.

— Même Malcolm ?

— Peut-être si tu fais un peu plus de passes, a-t-il plaisanté.

Nous sommes partis à rire tous les deux.

— Je suppose que Peter et Derrick ne sont pas pires que mes deux ivrognes.

— Et ils n'arrivent pas à la cheville de W5, a ajouté Rasheed.

C'était la vérité.

— Laisse-moi le temps d'y penser. Peut-être. Je me sens toujours un peu mal à l'aise avec ça.

— Le hockey n'est pas si important, a coupé Alisha. Mais tu dois nous promettre de rester et de nous laisser t'aider.

Ses yeux étaient si grands qu'ils semblaient aller d'une oreille à l'autre.

C'était la décision la plus difficile que j'aie jamais eu à prendre. Je savais à quel point la vie dans la rue pouvait être dure. W5 et Scrunchy Face y rôdaient, sans parler de Will. Combien de temps parviendrais-je à leur échapper ? D'un autre côté, je ne connaissais pas Rasheed et sa famille. Pas vraiment. Pour quelle raison aideraient-ils quelqu'un comme moi, quelqu'un qui les avait volés et était prêt à recommencer ? Le hockey me manquait, pourtant, plus que tout – à l'exception de ma mère.

Et il y avait ce lit. Peut-être que la meilleure chose à faire était de rester et de jouer au hockey.

29

Rasheed m'a tenu la porte.

— Allons botter quelques fesses de Red Wings.

Pendant tout le trajet, il n'a cessé de me dire que tout irait bien aujourd'hui. Qu'en serait-il? Si j'entendais un seul «Boule puante», je disparaîtrais.

Le visage de Lou s'est fendu d'un grand sourire lorsqu'il m'a aperçu dans le hall de l'aréna.

— Formidable! Vraiment. C'est bon de te revoir, Jonny.

Il a laissé tomber un sac de hockey à mes pieds.

— Je vois que tu as apporté tes patins enchantés.

J'ai décroché les patins de mon épaule et je les ai laissés tomber dans le sac. Je me serais bien passé de toute cette attention; je voulais juste aller au vestiaire. Les entraîneurs n'en avaient pas fini avec moi, en tout cas.

Ils se sont approchés et Lou a posé une main sur mon épaule.

— On est contents de te voir de retour. On veut oublier tout ce qui s'est passé et repartir à zéro. Ça te va?

— Bien sûr, ai-je marmonné.

Je n'étais pas certain de le penser vraiment. Comment pouvaient-ils oublier ce que j'avais dit? Moi, je n'avais rien oublié.

Malcolm m'a donné une tape dans le dos.

— Toi et moi, on a eu des divergences, pas vrai? Mais je veux tirer un trait là-dessus, moi aussi.

Il m'a tendu la main. Je me suis senti un peu niais, mais je l'ai serrée.

— Tu es bourré de talent, a poursuivi Malcolm, et on peut dire que tu sais patiner. J'ai été sur ton dos pour ce qui est des passes, et j'aimerais que tu réfléchisses à quelque chose avant le match: les bons joueurs marquent des buts, les grands aident aussi leurs coéquipiers à en marquer. Et je crois que tu pourrais devenir un grand joueur.

— Je vais essayer, Malcolm.

— C'est tout ce qu'on veut.

Lou n'avait pas cessé de hocher la tête, et il a accroché le sac de hockey à mon épaule.

— Va te changer. On est dans la salle 4. On y sera dans un quart d'heure pour vous parler.

J'étais plus que content de mettre un terme à cette conversation. C'était gênant. J'ai presque eu envie de laisser tomber le sac et de m'enfuir de l'aréna. Je me suis demandé si Malcolm était sérieux lorsqu'il avait dit que je pourrais devenir un grand joueur, et j'en suis revenu à cette histoire de faire plus de passes. Je savais que, parfois, je gardais trop longtemps la rondelle. Je me suis promis de me corriger pour ce match. Plus de monsieur Monopoly.

Je me suis arrêté à l'entrée de la salle 4, et une vague de peur m'a soudain submergé. J'aurais préféré faire face à W5, tant j'étais paniqué. Ce n'est pas qu'ils risquaient de me battre, mais ils connaissaient mon secret. Ils savaient que j'avais été un enfant des rues, que j'avais cherché à manger dans les poubelles et que je mendiais, que j'avais volé et que je n'avais ni parents ni foyer. Pire, je serais toujours Boule puante, même si j'étais propre à présent. Je connais les enfants. Comme moi, ils n'oublieraient pas. Et j'étais là, incapable de faire le moindre mouvement. Je voulais partir. Et je voulais jouer.

— Dépêche-toi, Jonny, m'a lancé Lou.

J'ai respiré un grand coup et j'ai poussé la porte, puis je suis entré. Toutes les conversations se sont arrêtées. Rasheed a poussé son sac et m'a fait signe de le rejoindre. J'ai déposé mon bâton contre le mur et, les yeux fixés sur le plancher, j'ai accepté son offre.

Quelques gars, dans le fond, ont repris leur discussion, mais sans que je puisse les entendre.

J'ai commencé à me changer et les autres se sont remis à bavarder, mais à voix plus basse.

— Tu veux du *tape*? m'a demandé Rasheed alors que j'enfilais mes patins.

Je n'en avais jamais utilisé parce que ça coûtait trop cher. Chaque fois qu'on m'avait posé la question, j'avais répondu que ça me gênait et me ralentissait. La vérité était que, parfois, mes jambières glissaient sur le côté et je tombais en plein sur les genoux. J'enviais ces gars qui, eux, avaient tout le *tape* voulu, et la manière dont ils le gaspillaient me rendait malade.

— Je pense que je pourrais en prendre un peu, ai-je dit.

Il m'a tendu le rouleau.

— Garde-le, j'en ai plein.

Collin s'est penché vers moi. D'une voix calme, il a dit :

— Jonathon, je voulais te demander : c'était quoi l'histoire avec ce type, W5 ? C'est son vrai nom ? Et tu l'as vraiment frappé là où ça fait mal ?

— C'était Scrunchy Face, a corrigé Rasheed.

— Je pensais que c'était Rigger, est intervenu Jacob.

— Scrunchy Face est le type que j'ai cogné près de la station de télé, ai-je dit.

D'un seul coup, ça a été une avalanche de questions.

— Où est-ce qu'elle se trouve, cette Cave ? a demandé Derrick.

— C'est là qu'il habitait, a répondu quelqu'un.

— Hé, c'est vrai, cette histoire des deux ivrognes qui se battaient pour le sac de couchage de Rasheed ? a fait Peter.

— Eh bien, les ivrognes, ils dorment sur les grilles d'aération du métro, et il y en avait deux… Oui, c'est vrai ; et la Cave, eh bien, c'est au centre-ville.

— Comment est-ce qu'on dort sur une grille d'aération ? a demandé Andrew d'un air gêné.

— Je suis souvent allé au centre-ville et je n'ai jamais vu de « cave », a dit Jacob.

— C'est un endroit secret, c'est tout, a répondu Collin.

Rasheed est venu à ma rescousse.

— Hé, les gars, laissez-lui quand même le temps de se préparer. Vous pourrez l'assommer avec vos questions une fois que nous aurons gagné.

Je l'ai remercié d'un clin d'œil et j'ai commencé à lacer mes patins. Les garçons se sont mis à parler des Red Wings. Ils avaient fini en tête et n'avaient perdu que trois matchs dans l'année. Celui-ci était le troisième des séries. Les Red Wings avaient gagné les deux premiers et c'était notre dernière chance avant l'élimination.

J'en avais terminé avec mes patins lorsque les entraîneurs sont entrés.

— Prêt pour celui-là ? m'a demandé Rasheed.

Je n'étais toujours pas à l'aise d'être là. Je ne pensais pas du tout au match. Je me suis contenté de hocher la tête.

— Je parie que Jonathon nous prépare un tour du chapeau ! s'est-il écrié. C'est notre match, les Rangers !

Je l'ai dévisagé, interloqué. Il a commencé à scander :

— Ran-gers ! Ran-gers ! Ran-gers !

Les autres ont repris avec lui, puis les entraîneurs… puis devinez qui ?

Je devais le faire. C'était mon équipe.

30

Je n'en revenais pas de la différence que pouvait faire un peu de nourriture et de sommeil. Il restait trois minutes à jouer dans la troisième période et je me sentais bien, gonflé à bloc et à peine fatigué. D'habitude, la fin d'un match était une torture pour moi, mon estomac et ma tête me faisant atrocement souffrir. J'étais quand même déçu par le score : 5 à 3 pour les Red Wings. D'une manière ou d'une autre, même en faisant des passes comme un fou, j'avais presque réussi le pari de Rasheed et j'avais marqué deux buts. Rasheed avait marqué le troisième sur une passe que je lui avais faite depuis l'arrière du filet, ce qui m'avait rendu fier, d'autant plus que Malcolm avait ensuite été aux petits soins pour moi sur le banc.

Ça ne nous avait pas aidés que Jacob reçoive une pénalité pour avoir fait trébucher un joueur. Même si les Red Wings n'avaient pas marqué en avantage numérique, il ne restait plus assez de temps pour égaliser. Rasheed et Derrick étaient sortis pour tuer la pénalité.

— Lâche-le pas, Rasheed! a crié Lou alors qu'un Red Wing coupait vers l'extérieur dans la zone neutre.

— Tu l'as eu, Rasheed! ai-je dit.

Personne ne m'a entendu, mais c'était curieux de constater à quel point ça me faisait du bien de l'avoir dit. Je crois que c'était la première fois que j'encourageais un joueur.

Rasheed a filé à droite en maniant la rondelle. Les parents des Rangers ont laissé échapper des cris de désappointement. Le bâton de Rasheed s'était pris dans le patin de son opposant et celui-ci avait perdu l'équilibre.

— Il l'a fait tomber sur la ligne rouge, a-t-on lancé à l'arbitre.

— Je l'ai à peine touché.

— Pourquoi n'accordez-vous pas le match aux Red Wings?

Je pense que Rasheed l'avait vraiment fait tomber. Mais Lou est devenu fou furieux. C'était la première fois que je le voyais réellement perdre son sang-froid.

— Vous ruinez le jeu, a-t-il lancé à l'arbitre. Il est tombé et on nous donne une pénalité à trois minutes de la fin. S'il vous plaît!

L'arbitre l'a à peine regardé. Je vous assure que Rasheed se sentait vraiment mal. C'était fini pour le match – et pour la saison. Malcolm a bondi sur le banc et s'est concerté avec Lou, puis il est revenu et s'est penché vers moi.

— Écoute bien, m'a dit Malcolm. Il faut tuer ce désavantage de deux joueurs, et espérer qu'on puisse retirer notre gardien et égaliser. Tu t'en sens capable?

Il n'aurait pas posé cette question s'il avait su dans quel état j'étais d'habitude à la fin d'un match, avec l'estomac vide depuis le matin.

— Je suis en forme, ai-je répondu.

— Alors vas-y et bloque la rondelle.

Il a donné un coup sur mon casque, ce qui m'a fait mal, mais je n'ai pas réagi, car je pense qu'il n'en avait pas eu l'intention.

— C'est à toi, a dit Lou.

— On est avec toi, Jonathon, a lancé un parent.

J'ai franchi la porte et je me suis retrouvé sur la glace. Derrick m'a vu et il est sorti en donnant un coup léger sur ma jambière tandis que nous nous croisions.

— Garde-nous dans la course, a-t-il dit.

J'ai glissé jusqu'au cercle de mise en jeu. Il fallait que je prenne cette rondelle et que je gagne du temps sur la pénalité. Ça ne serait pas si facile, à cinq contre trois avec la mise en jeu juste de l'autre côté de notre ligne bleue. Je me suis mis en position sur le point, tandis que l'arbitre lâchait la rondelle.

Matthew, ce garçon avec qui j'avais joué à la patinoire extérieure, était mon adversaire au centre.

— Jonathon, passe-la-moi et je l'enverrai au fond, a fait Peter.

La rondelle est tombée et Matthew a tenté d'écarter mon bâton d'un coup sec, mais je l'ai récupérée du revers avant lui et l'ai expédiée à Peter qui n'a pas traîné. Il a laissé un attaquant venir lui mettre la pression et il a lancé de toutes ses forces vers le fond. Je n'en croyais pas mes yeux! Il avait réussi à dégager la rondelle. Celle-ci a rebondi sur la bande en direction de l'ailier droit des Red Wings, qui l'a repassée à un défenseur derrière son filet.

Matthew est revenu en arrière et a pris la rondelle, son défenseur le suivant en soutien. Je l'ai laissé prendre de la vitesse avant de faire un écart à la ligne bleue. Il a foncé droit sur moi. D'habitude, je n'aime pas trop les accrochages, parce que je suis trop petit. Mais j'ai eu un regain d'énergie, j'ai baissé une épaule et je me suis jeté sur sa poitrine. Il a perdu l'équilibre.

La rondelle a glissé derrière lui et leur ailier gauche a tenté de la rattraper. Une seconde avant qu'il ne l'attrape, je l'ai détournée sur le côté, j'ai contourné l'adversaire et j'ai pris le contrôle. Collin était trop proche pour une passe et l'ailier droit des Red Wings couvrait Peter. Cette fois, il fallait que je la garde. Je patinais sans me presser le long de la bande pour tuer la pénalité quand j'ai entendu le crissement des patins d'un attaquant qui me chargeait. D'un rapide coup d'œil, j'ai reconnu Matthew. Ce gars-là savait patiner, j'ai donc accéléré et coupé droit vers le centre, à environ un pied à l'extérieur de leur ligne bleue. Alors leur ailier droit est arrivé sur moi et j'ai dû penser vite.

Je ne pouvais pas rejoindre leur zone, je suis donc reparti vers la nôtre, avec les deux avants des Red Wings sur les talons. Je crois que mon brusque changement de direction a pris Peter et Collin au dépourvu et ils étaient trop près pour une passe. Je devais donc garder la rondelle. J'espérais que Malcolm n'en ferait pas une histoire, mais j'étais persuadé d'avoir fait le bon choix. Finalement, je me suis retrouvé derrière notre filet.

— Ne le chargez pas! a ordonné Matthew en s'arrêtant dans l'enclave. Les deux ailiers se sont placés sur les flancs et les défenseurs ont pris la ligne bleue. Collin et Peter sont revenus eux aussi, mais avec tous ces joueurs dans notre zone, une passe serait loin d'être facile. Je devais me débrouiller seul, et si je perdais la rondelle, ils marqueraient certainement.

Un flot de souvenirs m'a traversé l'esprit alors que je me tenais derrière le filet. Curieux moment pour rêvasser, je l'admets, mais c'était plus fort que moi. Je me suis souvenu de quand je jouais sur la patinoire extérieure, disputant des matchs imaginaires, marquant le but de prolongation qui nous valait la coupe Stanley, transi de froid mais continuant parce que jouer au hockey valait cent fois mieux que de quêter avec J. J., Will ou Rose. Je me suis rappelé le bruit des lames mordant la glace et le choc de la rondelle sur ma palette. Mieux encore, je me suis rappelé à quel point je me sentais en sécurité lorsque je jouais, sans personne pour m'ennuyer, agissant à ma guise. Alors je me suis senti heureux. Puis j'ai pensé à ma mère et à combien elle aurait été contente de me voir en ce moment et de savoir que je n'avais ni faim ni froid.

Je devais tuer la pénalité pour mon équipe.

Matthew a bougé le premier, filant comme une flèche vers la droite, et l'ailier gauche a foncé de l'autre côté. J'ai fait deux enjambées sur ma droite, j'ai glissé le disque entre les patins de ce dernier et j'ai coupé vers l'enclave. L'ailier droit m'a barré le chemin avec son bâton, ce qui m'a obligé à le déjouer vers la gauche. Le défenseur droit a décidé de rester sur sa position. Un petit coup par la bande et je l'avais dépassé. Tout ce qu'il me restait à faire était de prendre l'autre défenseur de vitesse, et je me suis retrouvé seul à la ligne bleue. Je n'en revenais pas. J'avais déjoué cinq joueurs !

Le gardien est sorti, puis a reculé lentement vers sa cage. Je n'allais pas le laisser gâcher ce moment. J'avais passé des heures à effectuer des lancers vers un filet vide en comptant combien de fois la rondelle avait heurté le poteau avant de rebondir à l'intérieur. Au cercle de mise en jeu, j'ai feinté et envoyé la rondelle du côté du bâton. J'ai atteint la cible et je n'ai même pas eu besoin du poteau. La rondelle a jailli dans le filet. J'avais réalisé la prédiction de Rasheed : un tour du chapeau.

Mieux encore, nous n'avions plus qu'un but de retard et il restait une minute trente à jouer – assez pour égaliser.

Peter et Collin m'ont entouré alors que je revenais vers le banc.

— Un moment d'anthologie, a dit Collin, encore et encore.

— C'était marrant à regarder, a ajouté Peter en tapotant mon casque.

Voulait-il dire que j'avais trop gardé la rondelle? Il semblait plutôt content, mais j'étais nerveux. Lou s'est penché par-dessus la bande.

— Voilà ce que j'appelle tuer la pénalité. Dans dix secondes, Jacob sera dehors, et Rasheed trente secondes plus tard. Je vais faire entrer Derrick...

Il s'est tu et s'est tourné vers moi.

— Attendez une seconde. Jonny, comment tu te sens?

J'ai senti le regard de tous les gars se fixer sur moi. Avant de quitter l'équipe, j'aurais dit que tout allait bien même si j'étais un peu fatigué. J'aurais très bien pu continuer à jouer, mais Derrick se penchait sur le banc. Il voulait vraiment retourner sur la glace.

— Je pourrais me reposer un peu, ai-je dit.

Lou a hoché la tête.

— Vas-y, Derrick. Jonathon te rejoindra quand on retirera Andrew.

J'avais le sentiment que ce n'était pas la meilleure chose à faire pour gagner, mais certainement c'était la bonne décision pour l'équipe, car tout le monde s'est mis à encourager Derrick, tout le monde était content et applaudissait.

Derrick a perdu la mise en jeu au centre et les Red Wings se sont rués sur notre zone. Jacob a terminé sa pénalité et est venu nous prêter main-forte, mais Matthew a reçu une passe dans l'enclave et il a lancé la rondelle dans le coin supérieur juste au moment où Rasheed sortait du banc des punitions. Un but de retard, et plus qu'une minute à jouer. Je me suis effondré sur le banc. Nous étions si près de réussir, et à présent nous allions perdre.

— Jonathon, tiens-toi prêt à remplacer Andrew.

— Quoi?

Jacob m'a remis sur mes pieds. Andrew rentrait vers le banc.

— Continuez! a hurlé Jacob en me faisant pratiquement passer par-dessus la bande. On retire le gardien.

Lou a crié à Rasheed de lancer dans le fond de la zone et Malcolm, à l'autre bout du banc, s'égosillait:

— Allez, les Rangers, allez!

Les parents ont eux aussi perdu toute retenue et se sont mis à scander:

— Ran-gers! Ran-gers!

J'ai sauté sur la glace et je me suis rué vers la rondelle. Peut-être pourrions-nous marquer et forcer la prolongation. La saison n'était pas terminée. Dire que j'avais été à moitié mort de faim dans le garage de Rasheed et que maintenant je jouais au hockey! Jamais je ne m'étais senti aussi bien. Les miracles existent.

La rondelle est revenue à Collin, qui l'a renvoyée vers le filet. Il y a eu une bousculade monstre devant. Rasheed a tiré sur le côté et la rondelle est partie en vrille dans le coin. J'y étais, et je l'ai repassée à Collin qui a tiré sur réception, mais elle a rebondi sur un joueur et est revenue vers moi dans le coin. J'ai pensé que Collin avait une bonne ouverture et je la lui ai immédiatement renvoyée. Il est passé du côté éloigné et le gardien a étiré sa jambière, donnant un retour à Derrick contre la bande. Il a bataillé pour la récupérer et il a pu la ramener vers Rasheed, qui a surpris tout le monde en la faisant filer le long de la bande jusqu'à Collin.

Cette fois, Collin a pris le temps d'immobiliser la rondelle avant de décocher son tir. J'ai repéré une ouverture vers le filet et je m'y suis jeté au moment même où la rondelle arrivait. Un ailier des Red Wings a tenté de me ralentir mais j'étais comme fou. Derrick était aux prises avec un défenseur de l'autre côté et Jacob, qui d'habitude était une poule mouillée, fonçait tête baissée vers le filet.

J'ai renvoyé la rondelle comme un éclair et elle a frappé le gardien à la poitrine. Il s'est laissé tomber en papillon et a tenté de la bloquer, mais Jacob est arrivé et il l'a libérée. Elle est partie dans ma direction et, pendant un instant, j'ai cru que je pourrais la loger du côté rapproché. Mais un défenseur est tombé à genoux et m'a coupé toute ouverture.

— Jonathon, en arrière !

C'était la voix de Peter. J'ai fait demi-tour avec la rondelle. « Les grands joueurs aident leurs coéquipiers à marquer », c'était ce que Malcolm avait dit. J'ai passé en arrière, pas trop fort pour que Peter ne manque pas la rondelle. Et il ne l'a pas ratée. Il s'est élancé et l'a envoyée dans le filet par-dessus l'épaule du gardien. Peter avait enfin marqué. Son premier but depuis que je jouais dans l'équipe. Encore un miracle.

Nous nous sommes regroupés pour fêter ça. Tout le monde criait et se donnait des *high-five*. C'était complètement fou. J'ai jeté un coup d'œil à l'horloge : vingt secondes. Il restait peu de temps. Nous nous sommes replacés et Derrick a gagné la mise en jeu. Peter a passé à Rasheed, qui a tiré sur réception jusque dans la zone adverse. Jamais de ma vie je n'avais patiné aussi vite. Le défenseur des Red Wings attendait la rondelle de son côté naturel. Il était à deux mètres de moi. Si je pouvais la lui prendre, nous avions une chance.

Mais il ne l'entendait pas de cette oreille. D'un mouvement du poignet, il a cueilli la rondelle et l'a envoyée dans les airs. Elle est passée par-dessus tout le monde et est retombée sur la ligne rouge, continuant de glisser vers notre filet.

Collin s'est élancé à sa poursuite, mais les Red Wings l'ont encerclé, et la sirène a retenti, mettant fin au match. Je n'arrivais pas à le croire. Le défenseur des Red Wings avait marqué dans notre but désert. Nous avions perdu ; les séries étaient terminées pour nous, ainsi que la saison.

Il n'y avait pas eu d'autre miracle.

Tout à coup, j'ai senti un bras se poser sur mes épaules.

— Beau match, Jonathon, a dit Rasheed.

Il n'avait pas l'air très heureux, mais il n'était pas non plus au bord des larmes.

— Quelle passe incroyable ! a fait Peter. Vraiment belle. On a juste manqué de temps. On aurait pu les battre.

— L'an prochain, c'est sûr, a dit Collin, distribuant de légers coups de son bâton sur les jambières des joueurs en guise de félicitations. Avec cette équipe, on pourra le faire.

Je me suis demandé si j'étais inclus dans ce projet.

31

J'ai attendu que Rasheed et Collin sortent de la voiture.

— Partez devant, les gars, leur a dit Rick. Laissez-moi un instant avec Jonathon.

— OK, Rick, a fait Collin.

Lui et Rasheed sont entrés chez Johnny. Quelques-uns des autres Rangers, que je voyais par la vitre, s'y trouvaient déjà.

Rick s'est tourné sur son siège pour me faire face.

— Tu peux y aller aussi, a-t-il dit à Alisha.

— J'attendrai, a-t-elle répondu en secouant la tête.

— Je dois parler à Jonathon en privé, Alisha.

— Ça me va, a-t-elle fait, les bras croisés. Et puis je n'ai pas envie de rejoindre une bande de garçons stupides.

— Alisha, s'il te plaît !

— Ça ne me dérange pas, ai-je dit en les coupant.

Je le pensais vraiment. J'aimais l'idée qu'elle reste là.

— Bien. Après tout, ceci la concerne aussi, alors pourquoi pas ? Jonathon, Cynthia a rencontré une dame des services à la famille et à l'enfance. Une travailleuse sociale, si tu veux.

Ma gorge s'est nouée.

— Elles ont évoqué quelques options. Il est clair que tu as besoin d'un environnement sûr dans lequel tu pourras grandir, et tu dois retourner à l'école. Nous croyons aussi que jouer au hockey est important, pas seulement parce que tu es un grand joueur, mais parce que ça te permet de rencontrer d'autres garçons et de garder la forme.

« Cynthia a passé en revue quelques centres d'accueil possibles. Certains sont trop loin de notre ville, d'autres reçoivent des garçons plus âgés, et je crois que l'un d'eux accueille aussi les tout-petits. »

Je voyais bien qu'il tournait autour du pot. Il ne voulait pas me dire ce qu'il avait à dire. J'ai jeté un coup d'œil à Alisha. Elle allait me manquer. Et Rasheed aussi. Et tous les Rangers…

— Enfin, pour en venir au fait, Cynthia et moi voudrions que tu réfléchisses à ceci : nous pensons que l'endroit qui te conviendrait le mieux en ce moment, c'est chez nous. Nous avons une chambre libre et Rasheed, Alisha et toi avez l'air de bien vous entendre. Nous aimerions que tu acceptes. Et, enfin, je veux dire que… nous voudrions être ta famille d'accueil. Si l'idée te plaît, bien sûr.

Mon cerveau avait du mal à avaler une chose pareille. Que voulait-il de moi ? Comment était-ce possible ? Je veux dire… où voulait-il en venir exactement ? Rick attendait ma réponse.

— S'il te plaît, Jonathon, dis oui, a fait Alisha. Ce serait parfait. Pourquoi aller ailleurs alors que c'est ici chez toi ?

Je voulais répondre, mais j'en étais incapable. C'était comme si les mots demeuraient bloqués derrière mes dents et, croyez-moi si vous voulez, des larmes ont perlé au coin de mes yeux. Je savais que c'était idiot et j'étais heureux que Rasheed et Collin ne soient pas là. Je les ai rapidement essuyées du revers de ma manche – d'une manche de Rasheed, plutôt, vu que c'était lui qui m'avait prêté cette chemise.

Le silence devenait vraiment pesant. Alisha avait ses grands yeux fixés sur moi et Rick se tenait comme le font les adultes quand ils veulent qu'on leur parle, qu'on leur dise la vérité et tout ce bazar émotionnel qu'affectionnent les Réglos. Ça m'a fait réfléchir. Quand avais-je cessé d'être un Réglo ? Et pourquoi étais-je encore en train de penser comme un Rat de cave ?

Tous les garçons des rues m'avaient assuré qu'on ne pouvait pas faire confiance aux Réglos – Lewis le premier. Peut-être était-ce vrai pour certains d'entre eux. Mais ça ne pouvait pas l'être pour tous. Je savais maintenant que Lewis avait tort sur bien des choses, et peut-être celles-ci incluaient-elles les Réglos.

Je n'arrivais pas à concevoir qu'Alisha puisse mentir. Ça me semblait impossible – ou du moins c'est ce que je voulais croire. Je voulais également croire que Rick et Cynthia étaient sincères. Tout ceci était-il en train d'arriver pour de bon ? C'était le rêve de tous les

Rats de cave : avoir un toit, un lit, à manger, et c'est ce que Rick venait de m'offrir. Où était le problème ?

Il fallait vraiment que je leur réponde quelque chose.

— On pourrait essayer pendant quelques jours… ou une semaine… quelque chose comme ça. C'est comme vous voulez… Tant que ce n'est pas un problème… ou le temps que vous trouviez un autre endroit.

Tout d'un coup, j'ai perdu le fil de mes idées. J'avais l'impression d'être un idiot.

Rick arborait un drôle de sourire. Pas un sourire moqueur. Plutôt grave. C'était étrange et réconfortant à la fois. Alisha avait le même. Je n'avais pas la moindre idée de la tête que je faisais – sans doute une tête de nigaud.

— Cynthia croit que ce serait mieux si nous nous mettions d'accord sur une période de six mois, a repris Rick. Elle pense – et moi aussi – que ce serait plus profitable pour toi de rester un bon moment au même endroit. Chez nous. Si ça ne marche pas, nous verrons à chercher d'autres solutions, d'autres endroits. C'est comme tu veux. Mais j'aimerais vraiment que tu dises oui.

— Jonathon ! a fait Alisha d'un ton suppliant. Ça n'a pas de sens. Ne peux-tu pas dire oui et qu'on aille enfin manger ?

Six mois ? Ce n'était pas si long que ça. Et je pourrais toujours partir si j'en avais envie. Il avait dit qu'il existait d'autres endroits. Et j'aurais vraiment du mal à me passer de ce lit…

J'ai décidé de ne pas me prendre la tête.

— Si vous pensez que c'est une bonne idée, je vais accepter, je crois. Merci. Je veux dire, c'est gentil de votre part… Vous n'êtes pas obligés… mais si vous voulez, alors… D'accord. Je vais essayer.

Rick a hoché la tête.

— Je considère ta réponse comme un oui. Bienvenue dans notre famille. Et maintenant, allons manger.

Nous sommes sortis de la voiture et sommes entrés chez Johnny.

— Même chose que d'habitude ? m'a demandé Rick.

La question était vraiment bizarre parce que je n'étais venu ici qu'une seule fois. Comment pouvais-je y avoir mes habitudes ? Mais il avait été si gentil avec son histoire de parents adoptifs que j'ai dit oui.

— Hé, Jonathon, viens-t'en ! a lancé Collin.

Il se tenait près d'une table et me faisait signe de la main. Rasheed, Derrick, Jacob et Peter étaient avec lui.

— Vas-y, m'a dit Alisha. Je vais attendre avec papa.

Je les ai rejoints et me suis assis à côté de Derrick.

— On parlait de l'année prochaine, a dit Collin. Tu vas jouer avec nous, n'est-ce pas ?

Rick avait dit qu'il voulait me voir jouer au hockey : il ne pouvait parler que des Rangers.

— J'aimerais bien. S'il y a de la place.

Ils se sont mis à crier si fort que j'ai cru que le patron allait nous mettre dehors.

— On va voir si on peut t'en trouver une petite dans le groupe, a répondu Collin.

— As-tu une idée de l'endroit où tu vas demeurer ?
a demandé Derrick tout à coup.

Les garçons ont arrêté de rire. Le rouge m'est monté
au visage.

— Je crois que je vais rester avec Rasheed. Enfin,
avec sa famille.

— Tu as donné ton accord ? m'a-t-il demandé.

J'ai fait oui de la tête.

— C'est génial ! Jonathon va rester chez nous. Ça va
être comme d'avoir le frère dont j'ai toujours rêvé, et je
n'aurai plus à supporter tout seul une sœur aussi
énervante.

— Elle n'est pas si pire, ai-je dit.

Ils se sont mis à discuter de ça en poussant des cris,
riant de nous imaginer, Alisha et moi, en train de faire
subir un mauvais sort à Rasheed.

Puis ils ont commencé à évoquer la saison et
Rasheed a raconté comment nous avions joué la première fois sur la patinoire extérieure, et comment lui
était venue l'idée de m'inviter à rejoindre les Rangers.
Puis ils m'ont fait conter de nouveau l'histoire des
deux ivrognes et du sac de couchage, et tout le monde
est parti à rire à gorge déployée. Les Réglos trouvaient
manifestement ce genre d'anecdote désopilante.

Lou et Rick sont arrivés avec des plateaux qu'ils ont
disposés sur la table.

— Allez-y, la meute, a dit Lou.

L'odeur de cette nourriture m'a frappé les narines
mais, pour la première fois depuis je ne sais combien
de temps, elle ne m'a pas fait tourner la tête et je ne me

suis pas mis à saliver comme un chien. J'avais faim, bien sûr, mais pas comme avant. J'ai laissé les autres se servir en premier, puis j'ai attrapé mon hamburger.

—Celui-ci aussi est à toi, a dit Rasheed en m'en tendant un deuxième. Tu as droit au double double.

J'ai mordu dans le premier à belles dents. Le calme est revenu tandis que nous mangions. Je n'étais pas le seul à avoir faim. Je mastiquais tout en regardant de l'autre côté de la vitre. La neige tombait. Le temps se gâtait, comme si une tempête se préparait. Je n'aurais certainement pas aimé me retrouver dehors par une nuit pareille.

J'ai levé les yeux au plafond, imaginant que ma mère était en train de me regarder.

«Tout va bien, maman, ai-je pensé. Je crois que les choses iront mieux, maintenant.»

Suivez-nous

GARANT DES FORÊTS
INTACTES

Achevé d'imprimer en avril 2012
sur les presses de l'imprimerie Lebonfon
Val-d'Or, Québec